倒帶

楊子澗著

文學叢刊

文史哲出版社印行

國家圖書館出版品預行編目資料

倒帶 / 楊子潤著. -- 初版. -- 臺北市：文史哲, 民 104.05
頁: 公分.（文學叢刊；348）
ISBN 978-986-314-258-4 (平裝)

855 104006954

文學叢刊 348

倒帶

著者：楊子潤
出版者：文史哲出版社
http://www.lapen.com.tw
登記證字號：行政院新聞局版臺業字五三三七號
發行人：彭正雄
發行所：文史哲出版社
印刷者：文史哲出版社
臺北市羅斯福路一段七十二巷四號
郵政劃撥帳號：一六一八〇一七五
電話886-2-23511028・傳真886-2-23965656

實價新臺幣三二〇元

中華民國一〇四年（2015）五月初版

ISBN 978-986-314-258-4 09348

楊子澗《倒帶》序

——詩人以永恆地在其自己而成就其悲涼

曾昭旭

我認識子澗很久了，足足四十年之久；雖然四十年來見面的次數寥寥可數，卻毫不影響我對子澗的根本認識。因為他看似複雜，其實單純；因為他的靈魂就純是詩人的靈魂，你只要了解詩人就了解他了；或者說你只要了解他就了解詩人。

詩人是一種怎樣的人？就是一事無成的人，為什麼一事無成？就因他永不能放棄對生命、自然、原始性情的眷戀，結果正因此走不盡惡濁的人間，但欲回頭，竟也再回不去生命的自然。遂成為一雖孤傲無悔，卻也不免流浪終身的遊魂。像這樣雖照體獨立卻也無處札根的人，就是本質上的詩人。

子潤的身份本是詩人，但這本唯一的不以詩呈現的雜文集卻無寧比他的詩作更能徹底呈現他之所以成為詩人。乃因徹底的詩人，其實連詩人都不是，至於其他的文人學者教師就更不是了！什麼都不是，此之謂一事無成，而如此反而更是徹底的詩人。這樣固守著詩人靈魂的詩人竟使他變得連詩人都不是，這當然是可悲的。但這反而成為真正詩人的標誌與宿命了！試看歷代詩人的存在際遇，當可以思過半。

為什麼真正詩人常不免如此呢？關鍵在於詩人所處的這個世界。因為詩人是與所有世人同命的，當此世間安和樂利，詩人便可與世人一同吟詠風月，言笑晏晏。但若人間崩壞，不可安居，詩人也無法獨樂，遂只好離開他安穩的家，投身社會以期有所改革。但如前言，他正因堅持生命的本真，其實無法處於濁世，遂令他的改革半途而廢，自身反倒無可必免地受到汙染與折損。遂令詩人最後連對自己也厭棄了！遂成為一亦芳潔亦污穢、亦自豪亦自棄的弔詭存在。而詩人亦即以此一事無成、四無掛搭的奇特存在樣態，凸顯此世的荒謬，也成就詩人以其生命去呈現的警世功能。

我們試看子潤的這本雜文集，不正有與上述極相呼應的情調？無論是山鷹的孤傲不悔、菅芒的流浪不安於室、鹿仔樹的孤守最後的鄉土頑強地抗拒宿命，都是詩人自我的隱喻，乃至鄉土、平埔族以及〈回家〉那忠誠的狗妹仔，其實也都是詩人本真性情與原始理想的投射。詩人當然也樂意生命由原始的誠樸展為優雅的人文，但那得是不失人文精神意即生命精神、自然精神的真人文，而非斲傷生命的假人文啊！所以子潤忍不住他血液中蠢動不安的因子而離開他的妻子與家，投身於文化社會的改革，但芳潔的靈魂其實不足以肆應人間的紛擾，遂落得不只改革不成，連詩人最珍惜的家、感情、生命、鄉土的原始純真亦皆受傷失落。而兩不得安，遂唯餘一孤傲流浪的悲涼。

這就是我讀子潤此書的感想，也與我長久來對子潤以及徹底的詩人的了解相應。當然，子潤自承創傷與怯懦，此書諸文的寫作因此多有自療之意。但詩人本質既即是與眾生共命，則詩人之創傷即眾生之創傷，詩人的努力自我療傷又何嘗不是眾生所應為？詩人只是以他的誠實點出世人的共有傷痛，且以「倒帶」的奇特編輯來暗示世人都當懇切反省自己過去的生命行程罷了！這確是作者的微意所在嗎？不管是不是，我們都不妨作如是觀。

自序

楊子澗

・1・

甲午國曆五月初，第一道梅雨鋒面南下，窗外煙雨飄搖；我試圖勇敢地面對自己，為這本小書寫下一些話語；沒料到却遲遲不敢下筆，一直拖到六月初第二道梅雨來臨……

當我以最龜速校對這本小書時，才猛然發覺：三十多年的寫作生涯，竟只換得這麼一本薄薄的集子；我不得不承認自己是一個少產、難產也最疏懶的作家；不，嚴格來講，我根本不是個作家，我只是個怯弱且不敢面對自我的生命攝錄者而已！

這麼多年來，每當我人生中遭逢風霜雨雪、違逆乖舛的療癒之中或之後，我才會提起筆，使用詩以外的文字來攝錄這些日子走過的痕跡，或在幽暗偏僻的角落舔舐傷口；換言之，這些尚能找到的篇章都是生命中某一個重要時刻的見證者正在倒帶。至於刻意選擇遺忘或覓尋不著的隻字片語，那，就算了！

就只這麼二十三篇文章了，竟然從癸巳初秋彙整、編輯、校對、自序到甲午端午後，可見我一生的躊躇了！

此書以倒敘的方式編目，由最接近現在的文章往前，以我人生中三個重要的階段，一路迤邐、倒帶至青澀的歲月；那段歲月，我一直不敢正面面對，那是生命中最深、最痛的疤痕，當年吾師　曾教授昭旭的話語至今才能深切體悟，提筆之際，不覺泫然涕下、淚濕稿紙了！

·2·

卷三中收錄六篇散文和附錄一篇小說，最早寫就的是「等待黎明」，晚近完成的是附錄「回家」，時間綿亙十餘年。卷中部份是童年的回憶之外，大部份都是對這塊土地、我曾經的故鄉的某些慨嘆；諷刺的是，自「等待黎明」裏，我在鄉間建構一個自我的桃花源——「不也可以居」，最後却在「最後的鹿仔樹林」中倉皇離去；命運之喜歡作弄人，怪不得其他，大半都在自己的手中逐漸崩解……

卷二裏除「痛失仁甫」外都是短文，記錄一九八九年起投身「文教基金會」「文化工作室」和幫忙「嘉義市生態關懷協會」甚至拉雜至投入選舉之事；這段時間、這些事可欣慰的是「至少我曾努力過」，努力為文化、為鄉土盡過一份心力；尤其親炙地方耆老「家湖仙」一生的風骨與其對家鄉邦國的殷切關心，「讀冊人」的定義堪說以「家湖仙」為標竿。文後附二篇「論文」，皆在「文訊雜誌」專刊中發表，是我曾經而未竟的志業！「花雖美，無根隨謝！」

卷一文中「懷人」一文八則，五則寫給高師大風燈的同門兄弟，三則分致向陽、莊金國和楊亭詩友；餘之「散」文，則是那段青澀歲月留下的斑駁痕跡。那些文章寫我的平居生活、寫我的登山自我放逐，也寫我內心深處對於愛和感情過多的希冀和奢求；其實，我何嘗不知自己「渴望安於室家而血液中却又遺傳著蠢動的因子？」於今，自己年過花甲，才能體悟當年吾師　昭旭對即將大學畢業的我的垂詢關切！只是了悟，來晚了近四十年！

·3·

二十三篇文章、薄薄的二百五十頁小書，我，花了三十多年方才寫就；你，可以一天內閱讀我的「一世人」！

倒帶目錄

I—IV 曾昭旭／詩人以永恆地在其自己而成就其悲涼（序）
V—VIII 楊子澗／自序

卷三 在晦澀的天空中，我看到我正逐漸崩解……

3 山鷹
7 一世人
17 菅芒及其他
26 最後的鹿仔樹林
44 阮心中的一條溪流
52 等待黎明
67 附錄／回家

卷二 花雖美，無根隨謝！

99 我們把門打開了
101 弔嘉義市「稅務出張所」之死
104 解放的年代
107 痛失仁甫
118 遺失記憶的年代
124 北港公園一日「小事」記
127 走出去就是勝利
130 附錄(一)／花雖美，無根隨謝
148 (二)／沒有文化的泥土；那有文學的花樹？

卷一 渴望安於室家而血液中卻又遺傳著蠢動的因子？

179 無求齋散稿八帖

194 索居賦
206 一片菜花黃
208 吾愛！請細讀我的腳步
226 綠蟬兒和紅蜻蜓
229 懷人
250 雞聲隱約

倒帶 XII

卷三

在晦澀的天空中，我看到我
正逐漸崩解……

山鷹

濃霧，勾芡著風，逐漸擴張膨脹，矇蔽了夜色，吞沒了整座山谷；狂妄的雨，如子彈般大小，趁月芽隱匿行蹤，鋪天蓋地了僅存的杉林。我的雙爪，緊握住最後的意志，任憑雨暴風狂，在我眼前肆虐、在我耳際梟叫；我壓低身姿，身軀微向前傾，做黎明前的展翅……

金色的曦陽，輕柔地糝落在針葉林梢；鑲鏤著金邊的葉沿，露珠在微漾和風中剔透晶瑩；翠綠的樹海，一波波碧色的浪，起伏了山谷盎然的生機；雲，以最優雅的身段，宣示蒼穹的無際無涯！我，一隻蒼鷹，咖啡斑紋的雙翅，承載了無盡的滄桑；一雙銳利的眼，參透了前世與今生；金黃堅毅的喙，不屑天地般地下勾，撲擊了無數的山風與嵐霧！孤傲，是我的名字；不悔，是我中心的信仰。

山谷一片澄透，翼下的溪澗油油亮亮，蜿蜒依偎在谷間；一方野塘，似山谷深邃的眼，倒映了藍天和白雲、閒適與自在。杉林迎風款款，逸致且閑情，原來是一群獮猴牽盪林間；而一小群山羌和野猪，井水不犯，共享林下青蔥的嫩草。我乘著一股熱氣流，逡巡在各地遼夐的天空；偶遇一二朵路過的白雲，可以閒聊山外的訊息。山谷是我的國我的家，她的呼吸如此熟悉和溫馨；只有谷中一些世居的農民能了解：古道上儘是歷史的血淚腳印，拓印在斑駁的石板上。

山巒一層又一層，層層層遞，由濃而淡，綿延至天的另一邊；濃稠的嵐霧，悄悄越嶺翻山，洶湧至稜線和風口；不一會兒，匍伏貼近、無聲無息，瞬間捲起巨浪滔天，旋即淹沒了谷地；時間被制止，一切好像又回到了渾沌的初始，連森林的呼吸也不被允許。濃霧抹去了山巒的輪廓，吞噬谷地所有的風情，令人血脈賁張；我收起雙翼，電光石火般俯衝向下，任水氣在我身上擦出火花、任濃霧於我喙尖處囂嘯；我回以嘹亮的鳴叫，劃開濃霧、撕裂風雨；濃霧狂奔至山稜，風雨暫停騷動！

天色漸次灰黑，氣壓越是沉重，山雨欲來；氣溫快速下降，寒意也步步進逼，連杉林的針葉都已棄守。崎嶇山徑上，那隻瘸了腿的母狗，跛著腳、拖了地焦急狂奔；我知道，她有一窩新生的乳狗在岩洞裏哀嚎。急雨挾帶了寒風，霧似鬼魅，看來她已不堪負荷；我把最後的鼠給了她，她需要乳汁，看著她跛越叢草回到岩洞——

……風雨不住叫囂，濃霧如群魔亂舞；我縱身一躍，飛進已被寒夜佔領的谷地。我感覺到杉林的針葉劃過我的翅膀，風雨穿透我的身軀；在晦澀的天空中，我看到我正逐漸崩解：由喙、由冠羽、

由咖啡條紋的軀殼；最後只剩一片羽毛飄舞……在山谷中……明日，
或許你會撿拾到我的一生。
＊目睹台灣現況有感。

——二〇一一年六月寫於諸羅

一世人

·1·

風颱尾掃過黑水溝：雨暴風狂、天地黯慘，浪高三十尺，木殼船在浪頭上猛然被甩下，好像甩在一座堅實的岩石上，震得他筋骨俱散！心臟，彷彿被從嘴裡挖走；膽汁，自扭曲變形的唇角溢出，混雜黑水溝鹹澀的海水；「媽祖婆啊媽祖婆，保庇阮平安到台灣！」

天亮了、風平了，浪也靜了！璀璨絢爛的陽光灑在淺灘被擊碎的木殼船，碎片散落在零亂的屍體和沖積上岸的倖存者四周。他，悠悠地轉醒了過來，彷如隔世！「阮無死？」「無免驚、無代誌了！這就是笨港船頭埔底牛稠腳啦！」一個撿拾船骸、操著熟悉泉州鄉音的老者回答；他說他是被顏思齊、鄭芝龍招募來台拓墾的第一批唐山人。

他掙起身來，混身傷痛得很！與其他倖存者走上褐黑的淺灘，旋來的溪水馬上捲去他們的腳印；他抬起頭來仔細看了這地方：遠方瀉湖區還停泊著三、二艘下了帆、碇了錨的木殼船；河口淺灘近處，則栓了些排筏，樹下停放了幾部牛車；溪的南岸是個不小的聚落，那片蔥蘢的田疇；遠方是一脈脈高山，暴風雨後的天空益顯得湛藍……「這就是笨港嗎？」老者頷首。

他的目光飄向河流的出海口處，他知道，他來自黑水溝的彼端……

晚到的他，只好選擇笨港溪北岸的撫番寨落戶。撫番瀕臨番界，屬平埔仔蕭武壟社，番界內長草豐茂、雜木繁盛；隔著北門寨戍守的竹塹，有時還可以看見番民獵殺滿身白色雪花的梅花鹿。傳說中的番人是嗜血的；北門寨雖然有兵丁把守，面對黥面馘首的平埔番，他的心中不免忐忑不安，終日膽戰心驚！

其實平埔人並不像傳說中那麼凶殘，幾年後，他發覺事實與傳言並不相符。平埔人樂暢、熱情而直爽，平日以採集野果、摘取野菜為生，偶也圍捕梅花鹿；冬末春來之際，放一把野火燒掉乾草叢，而後撒下稻種，任其生滅，毫不在意！大概是生活太容易了吧？不像他日夜操勞；因為他實在不敢再去想像讓他離鄉背井困窘生活的故鄉！

十年後，他，入贅給一個平埔番女。番女是黑了些，不過臉上輪廓分明，尤其是深陷的眼眶使一雙大眼看起來更富野性和魅力；他看上她擁有百畝野地。入贅後，他以毅力把野地墾為良田；她，則為他生下了四男三女。有自己的土地、有自己的茅屋、還有自己的牽手和子兒，他，心滿意足，用半生寫就了夢想！

而台灣肥饒的土地和豐沛的雨水，讓他在唐山之外的海島上，為他和他的後裔延續了血脈！他滿足地看著家人，把異鄉變成新故鄉！

·2·

他的長子有著高高的顴骨、晶亮的大眼睛，也遺傳著他的精明和冒險犯難。從小跟他在田裡工作、和平埔人以物易物並和街仔內的漢人做起了生意。台灣確實是冒險家的天堂！晚年，他把家業交給了長子掌管。

他的長子真正是一個生意子，掌管田產後，把土地放租給另一個更晚來的唐山人，把全家搬進了笨港北街做起了生意。憑著他一半平埔人的血源，自平埔人手中收購梅花鹿皮及乾肉，在媽祖宮前大街上買下了舖面、開起了郊行，專做唐山、南洋和東瀛的貿易；生意越做越大，在宮口街迅速的打下並拓展他的事業和名望……

他從未忘記過他父親的遺言：把父親的遺骸運回唐山祖墳安葬、讓他的孩子讀冊識字。他父親百年後入殮，遺骸由他專程護送，從南壇水月庵運至笨港口，等待季候風泛海回泉州，安葬在故鄉的祖墳；而他為孩子們敦聘了塾師，教孩子們漢文並參加科考，他的次子是塊讀冊料，考上貢生又中了舉，補了個官缺。他的家族，很快地在宮口街晉身為士紳！

晚年，他也把郊行傳承給他的長子，每天在家中含飴弄孫或到媽祖宮膜拜媽祖，在山川殿香煙嬝繞的弦樂聲中悠閒地度過晚年；並交代他的孩子：等他過身之後，安葬在笨港……

・3・

甲午一役，風雲變色，在孤臣回天無力之下，台灣割讓給日本，全台一片驚慌。日軍很快地登陸貢寮，台北棄守；彰化雖遭抵抗，八卦山之戰卻告失守；嘉義失陷，笨港無法倖免，他孩子的孫子帶著長子回泉州祖家暫避；而笨港宮口街的郊行則交由太太和次子看守掌管，靜待局勢的發展……

日人據台之後，改採懷柔政策，以台治台，把台灣看成是隻金雞母。由於他是地方紳士、殷商富戶又曾有功名，不但未刁難他的產業和家眷；反而極力籠絡，給他優渥的禮遇和條件。避居唐山祖家的他，當然掛心笨港街的家產、太太和次子；不過也在泉州迎娶了二太太，享受同鄉人對他的尊重和齊人之福。

三年後，他帶著長子、二太太和新生的幼子從唐山又回到了笨港街。從日人手上，他得到了製糖株式會社的甘蔗契種權，如滾雪球般，他的產業暴增，事業的觸鬚更藉由糖業延伸到南洋。日本人禮遇他；他也以皇民自許，穿起了西裝和燕尾服並留了上翹，周旋於上流社會中。他不懂得政治；不過，他卻巧妙地利用了政治。他的幼子留學日本東京帝大，榮獲醫學博士返鄉的那天，他的名望更是達到顛峰！

晚年，他經常往返於笨港、唐山和南洋間，過身前二年並帶回了南洋的三太太和孺子。

・4・

二次大戰結束了，他內心充滿了狂喜；但回歸祖國的喜悅很快地被二二八的魅影所滅，他絕望的東渡日本……

擁有東京帝國醫學博士學位的他，畢業後選擇回到北港執醫開業。他寫得一手好書法，也會吟讀、寫作漢詩，雖然在最繁華的帝國首都——東京待過六、七個寒暑；但他卻一點也不眷念偉大的帝國首都，回到他的故鄉北港。他白天執業，專看小兒科；晚上則自開私塾，教導漢文和漢詩。他，不屑於日人的招手。

日據中期，他和同是醫界的蔣渭水以及林獻堂過往甚密，參加了台灣文化協會。他堅信：台灣人的文化和地位，唯有透過文化的自覺和省思，才能夠擺脫日本的專制；台灣人民才能除去日本次等國民的辱名。他曾經至東京請願；卻不見容於北港郡的日本官長。他寧可選擇固執！

現在，他卻被祖國列入了黑名單；羈留日本三十年，遠離了他和先人熟悉的故鄉！終其一生，他都無法再踏上他所摯愛的土地之上；直到——當他的骨灰離開京都正要返台時，悲壯的櫻花綻滿枝椏；近鄉情怯，車子經過橫跨北港溪大橋的剎那，他又看見了熟悉的菅芒在荒蕪的溪床上狂放！一輪落日靜靜地掛在河床上空，小鎮一片安詳，彷彿什麼事都未發生——

我則平靜地閱讀完他的一世人！

註(1)黑水溝／台灣海峽的俗稱。
(2)媽祖婆／中國沿海各省居民的守護神或稱「天上聖母」。
(3)笨港／平埔音譯。一六三七年的荷蘭古地圖上即有「Pankan.

R」笨港溪的繪稱。

(4)船頭埔／即碼頭，今北港郊區名。
牛稠腳／即牛欄下方；按舊時碼頭貨運以牛為主，故有此俗稱；今尚在北港郊區。

(5)顏鄭／即顏思齊與鄭芝龍。明末因欲推翻日本募府，事敗自日率眾逃來台灣，後至中國沿海招募漢民來台墾殖，今北港建有「顏思齊登陸紀念碑」。

(6)撫番／今北港里名，顧名思義，該地於四百年前靠近番界。

(7)北門寨／今北港鎮大北里，為當年把守墾地不受平埔人攻擊之駐兵地。

(8)平埔番／昔漢人對原住民的辱稱。早期漢民移墾台灣未帶女眷，大多入贅平埔婦女以謀取土地，故台灣有「有唐山公無唐山媽」之俗諺。

(9)笨港北街／乾隆三十九年重修台灣府志，笨港　港分南北，中隔一溪，曰北街、曰南街。

(10)媽祖宮／即今北港朝天宮，康熙三十九年由臨濟宗三十四代樹壁大師所建，今已成全台媽祖信仰大本山。

(11)郊行／即今之貿易商。同上註：笨港繁榮。

(12)功名／古笨港甚注重教育，聚奎閣書院建於道光年間，曾培育進士、舉人及秀才數十人。

(13)笨港街／日據後改為「北港郡」、隸屬台南州。

(14)製糖株式會社／日人據台，大加發展製糖工業，今北港糖廠即建於日據，每年尚生產蔗糖。

(15)文化協會／日據中期由林獻堂先生等人所創，為爭取台灣高度自治，曾至東京請願。

—「原載二〇〇四年四月二十五日台灣日報副刊」

菅芒及其他

菅芒

菅芒，蘆葦科，莖粗如指、中空有節，高可達五、六台尺，深秋初冬，由頂部抽穗開花，花色灰白；生於溪流、河床或高灘地上。根，盤結交錯，指爪四觸伸向沙地；春雨來時，或由根節竄長新枝，迅速佔領河川兩岸。

菅芒，一枝菅芒，像一個桀驁不馴的浪人，流浪在寬廣而荒蕪的天地之間。一身傲骨，在北風搖撼中獨自支撐一生的遺根；一管穗花，在淒苦煎熬下隻身印證地老而天荒。菅芒花，是流浪者的花、是屬於亘古以來靈魂不安者的花，任憑白雲飄過、任憑溪水嗚咽；他，永不歇止！

菅芒，一簇菅芒花，翻飛在蕭瑟的北風中，一波又一波、一浪又一浪，波浪層層疊疊，洶湧而至，在陰暗的天色中，就顯得淒涼無由而至，廣袤而遼夐了！灰撲撲的溪水黏稠凝滯、灰撲撲的河床裸露身軀；而一大面一大面灰撲撲的菅芒花悲壯地面對黯慘的落日，前仆後擁、爭相追逐，追逐蒼天邊那隻孤鳥，好像向著你我敘述一生的無悔。一簇簇翻飛的菅芒花豈不就像一個中年男子的心情？

渴望安於室家而血液中却又遺傳著蠢動的因子？不安的因子乘著飄飛的絨毛遊蕩到各處；溪水崩缺河岸，急彎而形成陡峭的沙崖上；或翻越河堤，落腳在一棵老榕的根鬚間；或隨著溪水一路狂奔而下，奔向不可知、不可預測的木海！機率只及萬一；而騷動却無法制止，滿天飛舞的菅芒花有滿天無法兌現的夢，逐一殞落在冰冷的夜空中、消失在毫無邊際的追逐上！

天亮了，太陽依舊升起，一切彷彿什麼事都沒發生過一樣死寂！稍後幾輛翻土機、怪手和大卡車開進了高灘地、闖進了菅芒的河床，翻土機笨重的履帶推倒一人多高的身軀，迅速地輾過，撕碎菅芒；怪手高舉，緊隨在翻土機後面，毫不猶豫地刨走菅芒交錯的盤根。屍首被堆積，一層又一層，高灘地依舊死寂；菅芒仍然挺身面對殺戮的機器。黃昏時分，一卡車一卡車運走了森森的屍骨；只剩下失去了鳥巢的紅冠水雞面向落日不斷啁啾——

哀啼聲迴盪在空闊的河床間！我目睹一場殺戮、眼看一個個夢被摧毀！菅芒，蘆葦科，長於台灣溪流兩岸，深秋冬初結穗開花。

老榕

我實在不曉得他們來自何方？不曉得他們是怎麼來的？是乘著

風的翅膀、抑或是禽鳥的播遷？反正，自從有了記憶開始，他們就已是佝僂著背、彎曲身軀，面對面站立在空地前的兩邊了！

他們有著神似的身姿：蒼老的樹幹刻劃著時光的腳印，粗糙、虯結而傾斜；隆起的根裸露於地面，緊抓著地表；濃密的鬍鬚，一縷縷從上而下，由褐黑、咖啡而鵝黃，垂掛在夏日的午后；枝椏濃密交錯，諸多手爪交疊，伸向無垠的蒼穹，而後在白雲穿梭下緊緊相握；葉渾厚而多汁，呈橢圓形，一任油綠閃亮。陽光，總選擇萬里無雲的夏，自濃密的葉間灑下一地碎銀，迷炫著樹下仰望天外童稚的眼！秋來，枝枒間結滿了纍纍的榕籽，招引了黃昏諸多的麻雀，牠們在濃葉間跳躍、聒噪、嬉戲和啄食，並在枝椏交叉處用木麻黃褐黃的針葉做巢，孵化雛雀、餵哺雛雀；其餘的榕籽，掛念根下的泥土，秋末，紛紛墜落，讓塵歸塵、土歸土或自土中伸出籽榕的嫩葉。

童年的老榕是一本無法抹滅的老相簿！炎炎盛夏，總有赤腳的孩童路過在此佇足，讓滾燙的雙足貼近清涼的泥地；我們則在樹下的小木凳上，享受葉隙中沙啞的微風或舔食一支枝仔冰。老榕樹梢有著太多深刻的印象：在樹幹分叉處，以夢想和薄木片釘了一座無法轉身的樹屋，屋外覆蓋榕葉，一整個下午，曲捲在樹屋中聽雀鳥在耳旁嬉鬧；或什麼事也不做，儘看著天上不斷飄流而過的雲朵發呆，小小的心，似乎了解樹下雜沓的腳步聲是如何匆促！直到黃昏時分，炊煙升起，在阿母的呼叫聲中結束一個下午的幻夢，從這棵老榕攀爬過另一棵老榕；而後一躍而下，靈巧如山中的猿猴！

囂鬧的蟬聲總和漫長酷熱的暑假分不開！盛夏季節，蟬們愛在斑剝扭綴的樹幹上脫殼，留下一個個蟬殼讓童年讚嘆，而後隱身在老榕的樹頂軟枝上，高聲嘶喊，彷彿在歌頌一個偉大時代的來臨；然而什事都沒發生，只有童年匆匆，在巡弋甘蔗園中溜走、在巡弋絲瓜棚下逝去！

老榕終究是不在了！十餘年前為了道路拓寬而被連根剷除；補償費二棵一千元！只是他的種籽，是否讓雀鳥播遷到某一個屋瓦縫中？或者是著根在某一片傾頹的牆垣上？我如此期待；却也喚不回流失的童年！

日本宿舍

年近五十了。夢中總會掀起一些記憶，彷彿昨日，一切依然鮮活如昔。

大門是檜木做的，兩旁延展的是枯黃易脆的竹籬笆；籬笆下有幾株燈籠花，夏來，不管日夜，總提著艷紅的燈籠到處炫耀。籬笆盡頭左右各有一棵老榕樹，自天上垂下的鬚根，好像連接了湛藍的蒼穹和飽滿的泥土，看起來令人凜然敬畏！大門和厝身間，是一小塊庭園，沒有朝鮮草、沒有庭園花樹；有的是一群夜宿老榕的雞、或饒舌聒噪的鴨，有時是一群鵝，追趕著隔壁穿開襠褲的阿土仔。四季各異、年年不同，前庭裏不同的禽畜，述說著物質困乏時的年代；難忘的是看到自己瘦小的背影，蹲在雞籠前面、伸出雙手，等待母雞蹶起屁股，生下那顆熱的蛋！

厝身除一個門外，還有兩扇大窗和四片落地玻璃木窗，窗櫺都是檜木做的，窗框還加裝外柜，而墻面也都是檜木片釘在泥墻上。或許是老舊了吧？許是阿母太勤於刷洗了吧？墨綠的油漆斑剝得過於醒目了！一張張的風雨圖，全蝕刻在檜木板上。我喜歡用手去撫觸隨著時光流失而蕩漾擴散的紋路，一輪又一輪、一圈又一圈，寬處可能記錄著陽光的充沛；而窄處可能就是冬來的嚴寒了！小時候，我總認為木板會呼吸；而圈圈的年輪，正是祂嘆息的聲音！

右側落地玻璃木窗後面是個小玄關，踩上不及一尺寬的架高木板、拉開四扇木板門，裏面就是約莫八、九塊榻榻米大小的客廳了！沒有沙發、沒有坐椅，大家總是席地而坐；或在榻榻米上側躺，享受一夏清爽的榕蔭，微風翻攪榕葉，濤聲和蟬聲，聲聲層遞進了屋來。左側是一扇木門，沒有喇叭鎖，有的是木閂，登上架高的木板，供桌朝東，右奉五年千歲而左祠祖先牌位，焚香淨水，是阿母每早必做的功課。兩扇木門後是臥室，裏面是雙層被櫥，中間以六扇木門和客廳相隔。夜來，兩個房間都變成了臥房；反正，除了一台漆成綠色的大同電扇和一架老舊收音機，什麼東西也沒有！

打開兩個房間和木皮拉門，隔著一條一米寬的玄關和八片玻璃長窗相望。木板玄關一頭跟隔壁相接、另一端盡頭是老式茅廁。長窗外有一圍猪圈，經年都有大小豬隻的嚎叫；廁所旁的空地上，則長了一棵結滿肥碩而帶鹹味的木瓜樹。宿舍鄰接後巷有一棵老龍眼樹，結實大小只如鈕扣；但多子多孫，成串成株、纍纍牽牽！很多暑假總是在樹上打發消磨的！童年的伙伴們，任憑誰也忘不了龍眼樹上的晌午——

記憶恍如昨日；却零零碎碎不堪組合！年近五十，再也拼湊不出我童年即已逝去的阿爸的臉；而阿母的臉却不時在我困阨的夢魘中浮現又消失！我的孩子在五十歲時，會像我思念我的雙親般想念我嗎？

—「原載二〇〇四年三月十九日台灣日報副刊」

最後的鹿仔樹林

·1·

恍惚中房內一片氤氳，乍然甦醒，只見絲絲白霧自窗櫺的細縫中汩汩溢流了進來；起身拉開檜木長窗，一隻野斑鳩撲翼而去，才驚覺窗外已罩滿白紗似的茫霧……

決定出去瀏覽最後一眼。穿過頂、下落瓦屋的迴廊、煙聲水瀑的中庭天井，咿啞聲中，我打開堂前兩扇實木大門的門閂，推門而出；突出的虎門之外，全是一片迷濛的晨霧。踩進前庭的草地，宿夜的露珠爭相和我裸現的腳踝打招呼；洶湧而來的茫霧，似貓般躡足、輕輕舔舐我衣著以外的肌膚，尤其是髮梢之際和裸頸之後。走出大門，即使一切已被湮沒，我仍然可感覺到他的存在：一株蹲踞在牆角一小塊土地上，頑強地抗拒宿命的鹿仔樹！

走在門前的產業道路上，沒有任何車輛和行人；甚至應已來到田間的農人也還耽於夢境之中。田埂已濃霧淹沒，霧，像勾芡一般黏稠，令人分辨不出田中那畦是包心白、那壟種花椰菜或垂掛細長豆莢的菜豆；只有一人多高竹架上的聖女小蕃茄，欺近細看，才能發現她們嬰兒般酡紅的臉龐，瑟縮地躲在密葉之中。偶有撲翅聲掠過，想必是哪隻野斑鳩或提早飛越台灣，要到南洋過冬的候鳥吧！

回頭遙看自己親手打造的家園，圍牆以下，都籠罩在白紗之中，往上漸層稀釋；只剩樹梢上尚有薄煙淡霧，包括大門外牆角的那株鹿仔樹和兩楹瓦屋灰色的屋瓦依稀可辨；而十餘米高的南洋杉，獨自佇立在迷霧之上，那是我回家的標的嗎？又有誰為我在樹梢高掛一盞燈籠招喚我？

・2・

太陽從玉山顛升起，剎那，一束束金光揭開蔥籠草原的面紗。草尖上方，猶垂掛著昨夜的露珠；一簇簇低海拔灌木林，依族群各自劃分盤據他們的領地。四百年以前，在南台灣的平原上，時間的輪轉並不明顯、歲月的遞遭也無關乎生民。綠草，高可沒膝；而灌木林，閒蕩在大草原邊沿和各處。

平埔族人，在南台灣平原肥美的土地上與世無爭地生活著。遠眺東方，巍峨的玉山總是凝視著這片土地、以及他們，像守護神般盤手佇立，看他們悠遊自在、無憂無慮。他們過著簡單的游獵生活：渴了，有清澈甜美的溪泉；餓了，只獵取他們能夠填飽這一餐的獵物；有時候，他們也在野火焚燒草原過的泥土中灑下穀物的種籽，而後，交給南台灣豐沛的雨水和露珠滋潤種籽、灌溉種籽，向大地祈討一些裹腹的米糧。在這裡，沒有貪婪的心；有的只是簡單和滿足。

尤其是那一叢叢的灌木林。他們有著掌狀的綠葉，葉背長滿了極細的絨毛；在太陽照射這塊大平原時，他們開了花、結了果，果實由綠轉黃、由黃變橙，接著披上雞血般的鮮紅，而後墜落在生長的土地上。他們耐旱、同時也耐澇，不管是濱海沙丘崙後，或沿溪淺渚的河床，都有他們族群孳生不息的領地。他們的學名叫「構樹」、俗語叫「鹿仔樹」；在混沌未開的台灣南方大平原中，他們是最強悍的族群，豢養著、庇護著大草原中最美麗、最溫馴的使者——梅花鹿。

梅花鹿和他們共生共存：平埔族人和鹿仔樹，共享大平原豐沛的水源和蔥綠的草原；梅花鹿群在草原中嬉戲奔馳、在鹿仔樹林裏悠遊覓食，也在庇佑他們的大草原上毫不吝惜地展示他們美麗的皮膚——棕色發亮的毛皮上，不規則地灑印著梅花花瓣般的白點，看起來是如此優雅、高尚而充滿原野的氣息！

·3·

除了荒蕪的野丘和陰森的墳地，鹿仔樹已然失去了他們亙古以來的領地，只能躲在歷史和漢民族的陰影下苟且求生了；和失落的平埔族人以及滅絕的梅花鹿一起低泣——

他們，在一小塊國有荒地中殘喘苟延了下來。沿著小火車輕便鐵道和農路交接處，有一塊長約一百米、寬約十餘米到三、四米的國有荒地。不知什麼時候開始，一顆鹿仔樹的種籽浪跡到這裡，沒有耕種就沒有災禍，很快地，他在荒地上繁衍他的子孫，迅速瓜瓞綿延、成樹成林，驕傲地在荒地裏落地生根、宣示他們已重建他們的新領地。荒地邊緣有一棟老舊的日式宿舍和一對年逾七十的老夫婦，宿舍前有一棵跟他們年紀相仿的台灣土種蓮霧；聽說老夫婦和老蓮霧樹親眼目睹這片鹿仔樹林如何從一株、二株、十株到茂密成林，完成他們歷史的使命。

鹿仔樹林之外，即是一畦一畦單一的經濟農作。這個地方名喚「菜園」，顧名思義，除了水稻之外，人們在這兒栽種單一的經濟農作物。有人種玉米、有人種菜豆，有時是茼蒿、有時是蒜苗，辣椒、蕃茄、地瓜、皇帝豆……真是族繁不及備載；只有在冬末年關之前，不約而同地，所有的農地裏都開滿了金黃的菜花，黃在陽光下更顯得斑爛奪目！不遠距離外的鹿仔樹林，冷眼看土地被切割成不同的背景、植上不同的作物，鹿仔樹卻無力拓展他們祖先往日的領地；昔日的榮耀，只有在風中、在林中，被棲息的鳥類和動物所歌頌！

平埔族人呢？梅花鹿群呢？祖先所熟悉的名字，都已被寫進歷史之中——

・4・

四百年前，某一個酷熱的夏日午後，一艘舢舨停靠在河口搶灘登陸；這些人看起來是如此疲憊！黝黑乾癟而多縐紋的臉，蝕刻著飢荒和戰亂。肥沃的大草原，彷彿是他們離鄉背井後唯一可以落腳依靠的地方；他們夢想在這裡建立他們的新家園。

然而這個地方原來是屬於平埔族人、屬於梅花鹿和鹿仔樹的。後到大平原的漢人們，以有限的語言，比手畫腳和平埔人溝通，承租他們的土地、入贅他們的女人、騙取他們的土地；用鐮刀、斧頭和火把，與長草、鹿仔樹林交涉、談判，一塊塊草原被焚毀、一簇簇鹿仔樹林的領地被併吞被侵占，大屠殺於焉展開；不多時，草原上潔淨如紙，新劃出一壟壟的農田取代了原有的莽野和鹿仔樹林。漢人們仗著優勢的農耕技術、勤奮苦幹的精神和偽善欺詐的謀生技倆，不但逐漸佔有了大平原、也逐漸侵入平埔族人的血脈；平埔族人，很快地消失在漢文化的洪流中……

而梅花鹿呢？原本隨時可見、曾悠遊自在於這大草原的鹿群，只留下一些些蹄聲在風中；他們又到哪裡去了呢？「鹿寮」、「鹿草」的漢人地名散佈在平原各地，取代了原有的平埔地名；「鹿港」則是漢人對待海花鹿群不言而喻的證明。平埔族人在茂林豐草中獵捕他們所需的梅花鹿；母鹿依然帶著仔鹿逐水草而漫遊，鹿群仍然壯大，一群群踏遍大草原的任一方；然而，漢人並不如此寬待，有計劃地圍捕他們、獵殺他們，剝取他們美麗的皮毛輸出到東瀛、醃製他們的血淋淋的身軀回售到大陸，一年輸出四十萬張皮毛的「鹿港」，究竟能承載多少梅花鹿驚慌的蹄聲？

平埔族人消失了，只留下一些瓶瓶罐罐和檳榔遙念他們的祖先；梅花鹿不再奔馳活躍在大草原上，只有在動物園的豢養圈裡才能看到他們失去光彩的眼神；至於鹿仔樹林呢？平原上已無林相的存在；只有在溪埔、在墳場亂葬崗、在陰暗罕無人跡的角落裡才能找到他孤單的身影，在夕陽下負隅頑抗，意圖恢復他們失去已久的領地；只是——

・5・

他們在這裡重建了他們的新領地。一邊是日式木造，連接台糖輕便小火車的鐵軌區；另一側是雙叉斜過的產業道路，平日只有農人使用，其他，罕有人至。新領地面積約有五、六百平方米，雖然不夠壯闊；但這卻是鹿仔樹經歷浩劫後族群唯一的希望。

鹿仔樹雖已成林；可是卻無法拓展他們的疆界，只要一踏出這片領地，即刻被鄰近農地的農人撲殺。因此，在無法新拓展、不斷被擠縮的惡劣情況下，他們充分地利用領地中的每一吋土地，讓每一株新誕生的仔樹都有活下去的空間。這批新領地的子民、努力地繁衍、努力的活著，只為了替他們遠古的祖先做見證。不過，鹿仔樹林並不排拒其他的外來客，大方地把臨路部份土地，讓給了一杆被遺棄的桂竹，二、三個清明過後，桂竹陸續掙出十幾杆筍仔；而後不久，十幾杆筍仔都抽長成竹、高越林梢了！此外，農路轉角處移民了一叢燈籠花，在這裡落戶定居，春秋二季，提著鮮紅亮麗的燈籠，向路過的行人和回巢的歸鳥招搖！

而鹿仔樹林內，自我形成了一個自足而完美的宇宙。在多霧的清晨，我停下車來等待竹雞媽媽帶著一群圓滾滾的小竹雞，搖搖晃晃、連滾帶跑地穿過農路；回家的黃昏，車子在鹿仔樹林邊輾過了一截東西，下車一看，才知道一條杯口粗的青草蛇橫屍輪下。鹿仔樹林梢，是鳥類的天堂，春末夏初，總有一群小野斑鳩，撲著粉咖啡色的新翼，在林梢間練習飛翔。林內枝椏繁密、陽光稀疏，那是田鼠的家，碩鼠碩鼠，田鼠肥大多汁；野貓就把小貓養在鹿仔樹林內了。

冬來時，一群過境的白鷺鷥高傲地站在鹿仔樹林梢，迎著風、面對夕陽，優雅地拍動雪白的長翼，一如他們祖先每年必經的長路；白鷺鷥們必然親眼目睹鹿仔樹林們的興衰史吧！浩劫後，這是他們所見的、唯一成木的鹿仔樹；沒有梅花鹿遨遊林內的鹿仔樹林！

·6·

十餘年前，我從城鎮市中心遷徙到這裡，落腳且準備生根！我用心規劃兩楹瓦屋，用來耕讀之用；挖掘一面野塘，塘中築亭，用來招喚遠到的白鷺，建成，名之曰：「不也可以居」。

「不也可以居」地廣總二畝，遠離城鎮十餘里之外，除隔壁一對老農，並無近鄰。大門外右側，有芒果樹及碗口粗鹿仔樹各一，剛遷來此地時，他已蹲踞於牆角，不忍斫去。大門內，有棕櫚樹叢、高眺的身影與左側十餘米高的南洋杉遙遙對峙。沿南洋杉而內，有一排十株龍柏，是我親手栽種，粗如手臂、高約三米，冬末以枝椏燻煙臘肉；右側池岸牆邊，次第排列三株樟樹、一株酪梨及二欉椰子樹。中間一方野塘、塘中建座涼亭，可觀水中月、夜半亦可垂釣；塘後有小溪，沿屋右婉蜒而來。三川虎門兩側，栽種紅蟬、黃蟬、含笑及桃花各一，餘地皆被草坪。瓦屋左側是一條車道、右邊植鳳仙花，沿屋角伸展；左邊有芒果樹一排，年愈二十，綠蔭成蓋，樹下種大、小型玫瑰及孤挺花若干；並有釋迦、文旦、酪梨各一，年皆有獲，多分予蟲鳥享用。

屋後車庫一，車庫後建半場籃球場，兩側各種六株小葉欖仁，葉如傘蓋、層遞而上，春初新葉，鵝黃嫩綠，令人不忍離去傘下。樹下有複瓣茉莉各三、二株，春秋二季，得花數千朵，可以賞花、可以供佛也可以曝曬入茶。球場後方有一片空地，右側種了株台灣香蕉，成串香蕉金黃耀眼、在欉熟透，取其中一、二排、餘留予飛鳥；酪梨樹二，年值荳蔻，尚未有果實可嚐。左側台灣土種蓮霧一，幹如腰粗，可攀爬、可抓金龜仔；果小色青，後轉淡紅，夏末纍果數百顆，偶摘食以回憶童年外，皆留予蟲鳥或還諸大地。

空地上，偶種些瓜果菜蔬，除自食或贈予友人外，並與蟲鳥共享。絲瓜欲攀高架，牽牽纍纍，晨大如指，黃昏即粗如兒臂；苦瓜亦令人擊掌，一暝長一寸，三兩天不注意，即長成婀娜多姿、膚如凝脂，垂掛於架上了！小蕃茄更惹人憐愛，酡紅的臉如嬰兒般，一簇簇相擁躲於絨葉後，嬌羞可人！依時序，春栽玉米或地瓜，夏初可烤可煮；冬末或播茼蒿、芹菜，年末可增味圍爐。黃昏時候，麻雀滿庭，亦不少斑鳩漫步園中；餘之鳥類，或引吭高歌；黃粉彩蝶，亦翩翩飛舞。秋來夜深，偶見螢火蟲們一一提著燈籠四處隨意遨遊，燈火一閃一滅，道盡世間諸多愜意或滄桑！

·7·

太陽逐漸西沈，在鹿仔樹林梢潑灑了一抹金粉，金粉越灑越多、顏色也就越重，最後，林梢被紅霞籠罩；天空，被夜色逐漸覆蓋……

趁著夕陽餘光，農人在田裡加快他們的動作；耕耘機噗噗噗噗駛了過來，忙著把收成的作物裝箱上架，以便連夜北運到都市。黃昏的農田是沒有閒著的；鹿仔樹林也熱鬧非凡！成群結隊的痲雀，一路上吱吱喳喳、吵吵鬧鬧地回家了，只能用「吵翻天」來形容！而斑鳩們，乘著晚風、駕著夕陽，在他們族群的領空裡巡曳；其實，這片天空為所有鳥群所共有！田鼠們伺機而動，在剛採完的菜園中蒐集剩餘的糧食帶回林內。鹿仔樹林沉默無言；而寄居的客人們，夜生活卻剛開始！

夜色降臨了。有時是夜黑風高，冷颼的北風如針刺般刮過鹿仔樹林，刮起陣陣刺骨的沙沙聲，像極了驚悚片釀造的氛圍！林中黑暗陰森，膝蓋以上全是參差不齊的枝椏，烏雲遮住弦月，月光的河流不進林內，彷彿精靈鬼怪即將重回人間！有時明月高照，皎潔的月色灑遍林梢，柔風徐拂，鹿仔樹們群搖起舞；半昧的白鷺偶被吵醒，拍拍翅膀，重新立好他們的站姿；而林中地面，生物鏈正在循環：覓食回家的田鼠，在歸途中遭野貓追殺，僥倖逃過一劫；入得了林內，又必需躲避蛇類的獠牙！竹雞把巢築在樹幹交叉處，以濃密厚實的乾草和鹿仔樹葉來柔軟他們的床褥和躲藏天敵。鹿仔樹呢？在夜色中，成熟的紅果一顆顆墜落，掉落在林中等待竹雞仔、田鼠或其他鳥類將他們帶離林子，冀望能找到一個全新的領地！

聽說這片國有林地已標售出去了，不久的將來，會有人來，或許是使用怪手或曳引機，將鹿仔樹林全部剷除。不知道他們是否已得知這個消息？三、四十年來，他們據守這塊荒地；但是，歷史的宿命好像又跟他們開了個玩笑！大預言中，他們的族群到哪裡才能再找到他們最後的香格里拉？

「不也可以居」兩楹瓦中間夾雜一個天井，遍植草木，有假山瀑布、上下兩池，池中皆養錦鯉，水聲終日不歇；前後二落瓦屋則以迴廊相通，上張細網，不論晴日艷陽或陰雨狂風，於天井內均可靜觀冥賞。天井中曾養數隻鷓鴣、三對白紋，巢室池邊枯木及金桔樹上。鷓鴣善於歌唱，終日聒絮不停；天性聰穎卻又不安於室，連袂啄掀細網，逃逸出走；某日醒來，竟聽見他們於屋外引吭高歌、示威嬉鬧！紋鳥性純良善、極乖巧，飼以食物即來啄食，「小鳥依人」確可比擬；可惜警覺性不高，被挖土潛入或從屋頂翻下的田鼠獵殺一空，往往剩下白羽數根和血漬一灘。最後，鳥去巢空，只遺啼聲迴旋於天井之中……

瓦屋前落由虎門進入，雙扇實木門厚重堅固，跨過門檻，迎面是一片木牆，高及天花板、中空兩柜，可透視天井。右側是神明廳，除祭祀祖先牌位外尚供奉五年千歲，那是先父在世時祈刻回家祭拜的，迄今已逾六十年。供桌分頂、下桌，十餘年前，我尋訪各地木工老師傅，最後才以台灣檜木整材刻製。神明廳後方的琴室，以拱門與餐廳相望，諸多文人雅士，曾於此用餐飲酒。天井右側、兩落瓦屋之間為客廳，騷人墨客酒醉飯飽之餘，多於此賦歌吟詩；而政壇人物則不免在此諮商政情、針貶時事。客廳中備茶、酒及咖啡吧檯，個取所喜、各取所需，酒酣耳熱之際，鐘瓦齊鳴、口水與懸瀑齊飛；運籌帷幄之時，不免慷慨激越，與水聲合而為一了！

瓦屋後落書房一、臥室三。架上書籍複疊，亂而無章；六尺長桌則是筆墨橫陳，牆上有「秋盡江南圖」與客廳靜老的拓墨山水遙相呼應。「不也可以居」中墨寶畫作不少，有贈予有蒐藏。臥室每室至少三扇木窗以上，均以原木為地板。主臥室東側是一扇長窗，寬十二尺高二尺八，可見窗外田水活絡、秋苗齊揚；天清氣朗之時，甚可遠眺遠方山脈、阿里山披雪。長窗下有小溪，與天井兩池暗通，而外接前庭野塘。小溪岸遍栽野薑花及玉蘭樹二株，每至夏末，野薑花化身為千百隻翩翩的白蝶，隨著南風，香氣和身影飄進窗內；而春、秋之時，玉蘭盛開，部份摘以供佛祭祖，餘者留之枝椏，蘭香悠長，幾佔全年之半！尤其清晨時分，痲雀亂我於樹上，好似喚我起床；黃昏即臨，卻又吵雜群聚、婆婆媽媽不已！

十餘年匆匆過去了。晨霧已逐漸褪去，鹿仔樹林又開始一天活潑的生機；我信步走回「不也可以居」。小竹雞又成群橫過馬路。十餘年就只這麼一眨眼，在這裡，曾留下歡樂、也曾意氣風發；但最後卻不得不離開此地！霧已散盡，庭草青蔥、花木依然扶疏；而大門前那棵鹿仔樹呢？新來的人家，是否允許他繼續生存？

我似乎聽到一陣陣梅花鹿驚慌的蹄聲，從背後即將被毀的鹿仔樹林逐漸傳來，超越我，奔向東方無言的山脈……

—「本文榮獲二〇〇二年教育部文藝創作散文獎第二名」

阮心中的一條溪流

四百年前，我們的祖先選擇這裡當他們流浪異鄉的泊淀處；一望無垠的嘉南平原，想必是荒煙一片。蓊鬱的樟木林、鮮油的綠草，或有鹿群在北港溪邊喝水；遠方聳立著綿亙的山脈，彷彿一座座守護的巨靈正低頭俯視著所有的子民。時間的河潺潺流走，我們的祖先把異鄉變家鄉，在北港溪畔建立他們——以及他們的子孫的家園。溪流出海口的潟湖區，停泊著一張張等待季候風開往大陸或南洋的帖帆；溪流上佈滿著熙來攘往的舢舨，在溪的兩岸穿梭。他們開墾土地、成立郊行、建築屋舍；也在這裡繁衍他們的後代……他們的心中，新故鄉有一條河流過永恆——

（樟湖山標高八百五十九公尺，三角點則落寞地倒頹在一片茶園中。早上十時，我們踏上這，俯瞰北港溪源頭的幾條支流。標高一千餘公尺的大尖山佇立在右後方，右前方是雲林、嘉義和南投交界的山區，大甲溪強越山谷，闖過狹隘的河谷小平原。樟湖國小在樟湖山腳下。天色湛藍、林木蒼翠，如切割過的溪岸有淺淺的白浪和土黃色溪岸；在天末雲氣氤氳處，大甲溪和濁水溪交會，如一條沈睡的蛟龍橫躺在地平線的遠端。左前方的樟湖山餘脈下，有三條小溪流或隱或現，或乾脆裸露祂枯瘠的河床。宗嶽拿出五千分之一的地圖攤放在地上尋找我們的立足點；同行的友人或低頭閱讀、或與天空中的蒼鷹對峙，或遠眺搜尋那北港溪的源頭……）

北港溪流經北港大橋下，寬闊的河床上長滿了翻飛的蘆草，大大的夕陽高掛在天空，溪水在火車鐵橋那端轉了個大彎，穿過北港、南港，並迤邐過船頭埔轉向西南的水林；北港溪就這麼緊緊地環抱著北港的東南、南邊和西南方位。小時候印象中的北港溪數十年來似乎沒什麼變化；仍然靜靜地流過時間，靜靜地流過我們的心中。放學後和小朋友去溪邊的河床偷蕃薯、玩水、摘取苧麻桿當寶劍是我們回憶中最大的娛樂；有時候我們也學釣魚，手握的桿在溪邊等待，充滿希望也往獲得了希望。「我們都是喝……北港溪的水長大的喲！」確實如此，八、九十年來，自來水廠的大水塔仍然紮實地站在溪邊，只不過現在的北港溪水已不堪汲取飲用了——

（我們在公路旁小徑上停了車。「這裡是北港溪最大支流尖山坑溪溯源的入口」！宗嶽五、六年來一直在尋找北港各支流源頭的真貌。首先我們穿越一座果園，陡峭的斜坡、稀疏的果樹上，剛結著如豆般大小濃綠的柳丁；接著又穿過一小片竹林，右側是雜草茂密的北港溪河岸，偶而可發現一、二顆剛冒出頭來的桂竹筍。十五分鐘後，我們沿著斜坡下降到河床。河床上儘是大如拳頭般的卵石，水量並不大，迂迴在卵石、雜草叢中。我們涉水過岸，以手杖撥開一人多高的芒草前進。「這裡原有一座水塘，你們在照片中看過的！大概是上個月下雨，大量的溪水挾帶泥石把水塘快填滿了！」看著那半方水塘，不禁讓我想起照片中那倒映著藍天、白雲和綠樹嫻靜爾雅的身影了。突然在草叢下，我們發現了五、六個農藥空袋子，大伙趕緊過來一探究竟；而隨行公共電視的錄影記者也架起了攝影機——唉！連這麼荒僻的山區，竟也躲不過農藥的侵襲……）

北港溪流出山區後，帶著褐黃惡臭的髒水一路嗚咽向斗六的石榴一帶，原本在古坑華山山區內已遭受金紙工廠、山上養雞、養豬場廢水污染的北港溪，那堪這一帶諸多工廠二度的蹂躪？工業用廢水使得水中重金屬的含量遠超出一般的標準，而其支流旁皮革工廠吐出黝黑的油污，更是令人膽顫心驚！北港溪已病懨懨地流向虎尾一帶。站在虎尾溪橋上，遠眺溪岸兩端，土灰色的溪床上一帶白茫茫盤踞在兩岸，從攝影機調近的鏡頭中，原來那是幾萬隻，不，是幾十萬、上百萬隻的鴨子！肆無忌憚地在私開的水域中悠遊漫步或浮水！兩個趕鴨人家似乎不懷好意地把眼光投向我們這裡！逃離了虎尾進入土庫的邊界，離界的那岸堆滿了幾層樓高的垃圾，彷彿是巨大惡魔已經宣告佔領北港溪的肉體；而這岸屠宰場的陰溝中，似油漆般凝滯的廢水不斷冒出惡臭的氣泡，一大堆擾人蚊蠅正歡喜地揮舞著他們的翅膀——

（我們在北港溪源頭裡尋找生命的訊息！跳躍過溪床中的卵石，原本已不甚寬敞的溪岸逐漸向河床擠攏了過來；橫生在岸邊的雜木林，不時拍打著我們的手、我們的膚和我們略帶憂傷的心情。同伴中世冠一腳踩進小水塘，把下半身都弄濕了；宗嶽涉水而行，邊走邊解說新生地地形的脆弱致使溪流容易改道的原因；我則專心在源頭中尋找生命的消息！經過一片插入天際的泥岸層山崖，河床上的卵石已被一大片、一整片的泥岩取代，泥岸層中不時滲出清淺的水珠，我們屏息躡腳穿越這片猙獰的狹谷，深怕惹怒了鎮守山谷的神靈！溪水十分潔淨，深只及踝；疊石間落差處，水深亦不及膝；突然，在卵石縫中閃過一道身影，我奮力扳開石頭，一隻溪蟹以憤怒的雙螯夾緊我的手指被提了上來，剎那間，沉悶而疲憊的心情頓時開朗了起來，大伙圍觀著這活生生的溪蟹，攝影記者也將北港溪源頭生命的跡象記錄了下來。河床越來越窄、水流越來越深；礫石岸大約只二、三米寬，水深卻已過腰；而岸邊的雜木伸張雙臂遮擋了午後的天空。前面似乎已經沒有去路了！一根頹倒摻和著樹根的巨木橫躺在山谷中；而崩落的亂石中只見溪水如洩洪般傾瀉而下……）

北港溪仍然環抱著我的故鄉向西南流去。山區的造紙廢水、支流的皮革工廠、上游的工業污水和中游的垃圾場、養鴨場再加上流經各大鄉鎮的家庭廢水，北港溪流到北港鎮已沒有生機了！河堤不斷加高，人與溪流越來越疏離，北港大橋下游的造紙廠廢水、溪沙的盜採更加寬了故鄉人與北港溪的隔閡；也危害到大橋橋墩的安全！人們心中曾幾何時還有這條溪流存在的空間？北港溪彎過西南又迴流向西，經過水林、口湖。沿途散落田間的豬舍，不時經由田溝排放豬屎，屍水淌向死寂的大海。口湖隔著北港溪出海口與嘉義縣東石鄉的鰲鼓濕地遙離相對；雲林縣內，這邊是日益塌陷的陸地；嘉義縣境的鰲鼓濕地，聽說亦將開發為工業區，夾在陸沈與即將到來的工業魍魅，北港溪最後深嘆了一口氣，任由潮汐將溪流四分五裂，而後吞噬；只剩下黯淡的夕陽低吟哀慟的輓歌——

（清理崩塌的亂石、雜草也攀越過頹倒的巨木，大伙兒腰部以下幾乎全濕了；臉上、手臂上也沾滿了污泥；狹谷也站得更陡峭了！之後，涉過連串的水潭，以斷裂的林木做獨木橋，或強渡落差一人多高的水柱；山谷中只剩原生樹蛙的叫聲和我們逐漸沈重的呼吸聲！沿途有三、兩小流瀑，順著沖刷過的山坳直瀉谷底，水簾紛紛，細如絲、如縷；而後化為精靈，寄身在茸綠的蒼苔和岩壁上的小草葉尖！狹谷窄到雙臂伸開可以碰及，水勢卻是越加明顯，脈動強烈、澄淨而沁涼；回首遙望來時路，狹谷插天，由近而遠一路暗綠、濃綠、翠綠、淡綠了過去；上接澄明的藍天，遠方則是迷濛白茫的山嵐，黑白分明、層次交疊，這時才發現北港溪的源頭還是如此清麗、如此俊逸而且洋溢鮮活的生命力！經過近三個小時的路程，我們艱苦地攀過一座亂石斜坡後，一條約四十公尺高的瀑布垂掛在空谷中。同行的兩位女士突然生龍活虎地搶登空谷，好似一路來的疲憊已被轟隆的水聲洗滌盡了！阿懋趕忙空出水壺，接一壺天上奔來之水嚷著要回去烹茶；有人望著瀑布發呆、有人汲水洗去塵土；我則坐在亂石堆上聆聽北港溪源頭生命最初的脈博……）

等待黎明

——這是個崩潰的世代
人們，從空中
蜂湧群聚且漠不關心
……狂嘯而過
已經缺乏耐性
全部都戴上亂視眼鏡
漠視世紀末的審判

·1·

黃昏，我從都市返回原本純樸的小鎮。熙攘的人群猶自投射在車前大玻璃上，一片太平昇世的景象；疊起的高樓、沒有止息的車水馬龍、擠滿人潮的百貨公司、漢堡速食店、牛排館、服飾店，還有早開的夜市，人們從這兒湧向那兒，一切彷彿沒有終結的幽靈……我搖上車窗。山脈，在後視鏡中乍現並逐漸模糊；而夕陽，西沉於遠方不可企及的海面上，噴濺出火紅的霞塊，毫無章法地擺置在天空詭譎的臉孔上，顯得異樣地絢麗燦爛奪目輝煌；卻又很快地消失無蹤。車速六十公里，我平靜起伏跌宕的心情，收音機正播放著歌手們合唱的明天會更好。工作了一整天，在這返家途中蒼茫的野地上，那兒可以停車暫歇？

·2·

那兒可以停車暫歇？一帶水聲或一陣梵唱？我在那座庵前廣場停了車。幾棵老樹仍然佝僂著滿刻時間傷痕的身軀，低垂鬚，庇護那些倦了的歸鳥。庵名喚作水月，鏡花水月的水月；只不過庵裏已經沒有半個比丘尼或道姑滯留修行，當然也就很久沒有來此要求掛單的苦行者了。主人在花園裏灑掃落葉；東西兩廂全部改建成二層水泥洋房，只剩幾片瓦當和敗破的八角木窗，橫豎雜躺在角落陰暗處呻吟，身上全是塵埃和苔蘚。進庵前原本種植在小溪兩岸的竹林現在都已不見了，我清楚地聽到外面車輛經過的聲音。庵前有一條曾經清澈的小溪流過；那是笨港溪舊河道的一條無名支流，小溪從東而來，偎著廣場行過，而後在庵前入口地方打了一個轉轉身南去。對岸是一畦畦菜圃和一小片綠竹筍林，菜農依舊以長柄鉛勺取水灌溉。在灰暗的天色下，我看見了小溪睽別經年的面貌；沒有梵唱沒有水聲、沒有鏡花也不見水月；只有一灘灘油漬，幾個翻沈的塑膠袋、幾支保特瓶和一隻鼓脹著白肚皮的棕色小狗。不知是時間晚了還是什麼，只覺得氣壓很凝重，一切在剎那間彷彿都暗了下來……

▪3▪

一切彷都暗了下來。馬路上匆忙的車輛都點燃了燈；連那些個背著農藥桶子、全身緊緊包裹的農人也手提充電池燈，騎著腳踏車成群橫越過大馬路往這邊來。交通流量、車行速度依舊如往前般飽滿迅速；按照不成文的自我規則一絲不亂。偶有一兩聲淒厲的剎車聲和橫暴夾雜幹你娘的叱罵聲，那是因為三兩個國中生也騎車紊亂地切過路面往這衝過來。而對岸還未砌好的工地間，工人們正趕緊收拾他們的工具；也有的靜坐在亂石上抽煙。煙頭在灰暗的天色中一閃一滅，格外清楚，俄後化成一道道弧光，彈落在兩旁的田中，倏然寂滅。再過去是一片墳場，梅雨過後，野草們又恣意地宣告佔領這個地方了。一塊塊碑石，一張張刻鏤著人間世得意或失意的臉，此起彼落地出現在荒煙亂草間，間或糁雜了些時間匆匆的腳步聲和幽幽的嘆息聲。墳場中那座紅瓦屋頂的四角亭最引人注目；暗雲下，似乎有一群人靜坐在裏面，蒼白而扭曲的臉彼此無言地觀照著；一陣聒噪的鳥雀飛過，忽然間他們全都消失了。車子的引擎又恢復了運轉。馬路兩旁的水銀燈和商店招牌霓虹燈在大橋轉彎處向人們遙遙招手；我剛穿越一座小城即將回到蟄居的古鎮。大橋轉彎處有林立的商店；活魚三吃、紅燒牛肉、海產店、修車廠、木材工廠、塑膠工廠、成衣工廠，雕刻神像的師傅手握木槌撕裂一塊實心樟木；過去還有三家豪華理容院、一家咖啡屋、一家休閒汽車旅館和大飯店全都拋出了曖昧的眼；一個髮孃從粉紅駭綠的店裏探出來向路人招手……這個小鎮，好像全給這些聲色熱鬧了起來！

・4・

好像全給這些聲色熱鬧了起來。「72馬赫」走廊下一架14吋彩視正使勁地傳送店裏熱情的畫面和旋律。他們喚做MTV。他們當然也群聚在卡拉OK牛排過，不過聽說現在落伍了；他們已經從卡拉OK、泡沫紅茶遷徙到這兒來，像一群沙中的遊牧民族，駕馭著狂飆帥勁的一二五，從那片綠洲無法無天狂嘯到這片綠洲，像一陣暴風。「72馬赫」門口正橫豎著幾匹士飽馬騰的重型越野車，匹匹英挺煥發；一群捲髮青年坐在馬上聊天，穿著很西門町；不過看得出來是東京原宿的翻版。突然裏面有人高喊我老師，旋即快步衝了過來並熱情地遞上一根肯特。他說他們在等人；我記得明天是期末考。然後又從店裏走出幾個來向我打招呼，店門一開一闔，一陣震天價響的鼓聲像一列奔雷，夾帶著冰寒的冷氣和濃密的霧迎面擊來。還有二三個國中小女生躲藏她們誇張的身裁在柱子後邊抽煙；他們圍繞著我嘰哩呱啦講了一些不了解苦悶不斷的考試老師看不起我們抒解緊繃的心情等諸如此類的話。我聽得不甚清楚，我只聽到他們戲稱她們叫「公田」，夾雜著一陣恣謔的爆笑和誇張的動作。我不免多看了一眼，她們轉身甩動刻意捲燙過的頭髮風姿撩人地跳進店裏，在混沌的聲光煙陣裏，我仍然看到一絲青澀。他們邀我去裏面看瑪丹娜演唱的帶子，我佯裝有事便借機走了。臨走前當然還得道貌岸然地勸說他們要好好用功讀書將來做一個堂堂正正的中國人等等的話；他們一列排開齊聲回有並做了一個滑稽的舉手禮動作；我發現他們有些漫不經心，卻也有些許無奈。我突然想起另外那群躲在「圖書館」裏啃書的大孩子們，他們可以為考試差零點五分而跟我爭論不休，卻從來不知道如何去揮霍一點青春，也不知道如何去思考……想到這些，不禁連我都有些迷惘了。我捺熄了煙，深吸了一口氣……呵，這樣的夜！

・5・

這樣的夜！我回到家裏，穿過院子兩旁百年老榕的陰影，反手合上拉門，把吵雜關在門外，然後藏坐在圓形的藤椅中打開電視收看晚間新聞；外面的世界似乎已被我絕緣了。孩子們在浴室裏嬉鬧、老媽去店仔口打聽大家樂開出的號碼跟人家湊熱鬧，妻，在書房裏探看白先勇台北人裏的眾生百態。一切狀況還算祥和。螢幕上俄共頭子戈巴契夫的夫人穿著體面的衣服跟他穿梭在各種場合中；美國總統雷根作例行健康檢查時發現直腸裏有兩塊息肉並予割除；義大利色情影星小白菜當選為神聖的國會議員並受到她的支持者的歡呼；兩伊戰爭又開始了畫面上是幾座高砲在野地裏怒吼夾雜呼嘯聲然後在地平線那端激起幾朵煙塵雙方都宣稱已獲得輝煌的戰果打死打傷並俘虜好幾萬敵軍；跟著報導非洲又發生饑荒原因是久旱不雨及若干國家內戰所引起的螢幕中一眼望去儘是嗷嗷待哺數十萬面黃飢瘦的難民等待國際紅十字會杯水車薪的救援而誰也沒有辦法；接著下來是幾則輕鬆的國際新聞像美國妙齡小姐的選拔法國服裝界展示今夏流行的泳裝等等幾十個健美漂亮的金髮女郎在伸展臺上搔頭弄姿臺下是蜂湧的人群和不停的鎂光燈；看著看著，不知不覺就睡著了……突然被一陣急促的腳步聲吵醒，播報員報導韓國政治動亂方與未艾，數萬名反對者與警方發生街頭嚴重衝突，示威學生以磚頭和自製燃燒彈攻擊警方警方並以瓦斯槍驅散群眾，這陣匆忙的腳步聲正是雙方混戰的結果……我挪動疲憊的身體，向前按下電視開關。剛剛的砲聲和遍野哀鴻的悲嚎還未盡散，沈默與死寂不知什麼時候正悄然掩了上來；一種山雨欲來風滿樓的感覺已佔領整個夜晚——

·6·

一種山雨欲來風滿樓的感覺已佔領整個夜晚——我看著他熟悉卻又陌生矮壯的身體，連聲音都快認不得了。他，披著綠底十字反白的綵帶站在講台上慷慨激昂嘶聲吼叫；講台下是我們曾經玩過彈珠、曾經在那兒打滾過的泥地。我們的童年並不富裕，跟侯孝賢電影中的鄉下孩並無兩樣；只是他長得比較壯碩。我們在他家的院子裏玩一切能玩的東西，捏一堆泥丸以便下午和別隊野孩子「打仗」；用自製的彈弓打麻雀並把牠烤了吃掉；去糖廠裏面集體偷採人家的芒果蓮霧；也在菜圃裏抓菜蟲或用課本做成手套抓絲瓜棚下的大黃蜂，五隻大黃蜂中藥店可換兩毛錢，然後去店仔買一枝枝仔冰或雜色糖果公家吃。我們就這樣長大了；二十年好像一彈指。童年的老友一個個遠離笨港這座古鎮去都市討生活：羊頭在一家塑膠工廠官居廠長、勇君在某大建築公司擔任經理、紀仔不成材開過地下舞廳現在卡啦ＯＫ一天營業少說也有三兩萬、雷仔的貿易公司近年來則沒什麼起色；這些朋友只在逢年過節回老家時大伙兒才聚在一起喝喝茶打打牌。而他，很久就沒有消息了，直到有一天他突然回來，像一陣狂風橫掃千軍，幾百場演講會叫群眾把他拱上了國會。之後便是一連串驚人的手筆，摔杯子、毆堂裏對罵扭打、跳上議事桌踢翻資料等等，非常環境下的非常舉動，頓時使他成為家喻戶曉的人物。我站在台下以慣有的眼光看他的手勢、聽他的演說，揣摩他的理念；手勢是誇飾而有力的、音調是高亢而煽情的；我發現他仍然堅守他既訂的理想和目標；錄影機正播放兩軍對峙叫罵衝突的記錄影帶，群眾在他充滿能量的聲音中不斷拍手叫好，然後他意氣風發地笑了。童年記憶中他的影像逐漸凸影了出來，沒錯，就是他！時間並沒有改變些什麼；他仍然嫉惡如仇、好打抱不平，言詞條理而句句中的；口才犀利又極具魅力。警察在大馬路那頭維持秩序，一二百群眾大多數是我熟悉的鄉親，有習慣沈默的讀書人、恐懼什麼似的公務員、客運總站前拉客計程機司機、媽祖廟前追逐香客的小販、流動或固定攤販的飲食業者，也有部份邊嚼檳榔邊抽煙腳踩布鞋一頭亂髮亂髭的　　人。說明會在微細的落雨下和雷動的歡呼中結束迴迸幾個手環臂章的工作者在議論紛紛的人群裏散發傳單。我靜默在角落，看人群向四面八方湧散。夜，都快深了……

·7·

夜，都快深了，我徒步走向媽祖廟前的廣場。大街上商店全都拉上了大半鐵門，我的鄉人聚集在廟前小圓環的攤販上吃宵夜。媽祖廟比記憶裏更華麗了，飛揚的屋脊鑲嵌著油亮的琉璃瓦，巍峨的中殿兀然峙立在璀璨的燈火之中；而那些歷經三百年風塵蝕刻的石雕，在廟庭陰暗處仍然樸拙地寫意祂的風骨；只是越來越少人去注意到祂了吧！大殿的圓形鏤花天井全部噴上了金粉；達官貴人們呈奉的扁額也都是紅底金字，顯得金碧輝煌醒人耳目。我不禁要思索著：這四十年來，我的鄉親究竟從快速的經濟發展中獲得了些什麼？建築公司十幾間千萬元店舖尚未正式公開已全部銷售一空？鎮內愈來愈多的賓士、BMW和其他各型轎車使街道為之狹隘？理容院等各種聲色場所天天人滿為患？或是每年三百萬香客給媽祖廟帶來上億的油香錢？不是！不是！我看到的是我們再也沒有往日互相包容的愛心和耐心；我們在巨輪下喪失了悠閒和雅緻；我們的腳步越來越快卻迷失了方位；馬路旁的樹一棵一棵被連根剷除了，心，卻日膨脹而逐漸腐爛；人人短視急功、相互訐短，忘了自己應有的權利也忘了自己該守的本份。這是個末法時代，佛陀如是說。一切彷佛有其律規，一切卻又脫離了自律的天則；人們個自在自我設定的軌道中運行，相激相盪、互追互逐，化為無數飛濺的火花；或明或暗或隕落於無盡的星空之中……最後，可能是一場浩劫、一場天火，一切，必將化為灰燼：地坼天崩——

·8·

地坼天崩——我坐躺在院子裏的竹椅上昏睡過去，突然被一陣尖銳的剎車聲驚醒。從疏落的籬笆和晦暗的月光之間，我看到一輛貨卡的尾燈飛速闖越紅燈消失在外環道路那頭。我真的想仔細去追索剛才夢境中那份如幻似真的情景：我們花了十多年的時間，終於籌集到一筆金錢並買下了一個谷地；谷地在群山環抱之中，一條沒受污染的溪流貫穿其間，溪流兩岸是狹長的平原和起伏的丘陵；於是，我們來到這兒定居，並規劃一個嶄新生活秩序的部落。人人做卑微的工作，拓植荒地、修砌水塘、放牧牛羊和種植五穀菜蔬，在日出後工作、在日入後休息；人們洗去汗垢，或躺或坐或臥，在明淨的星空下傳訴一些先民遙遠的寓言，在熒熒的篝火中敞開心靈接收來自無垠宇宙間的訊息。我們了解，自然是崇高而偉大的；而人類卻是如此地卑微與渺小；天地是寬容而無所不孕育的；因此，我們必需學習共生共存相互包容的胸襟。在這裏，我們謹慎地使用文明而防範受到文明的干擾；我們虔敬地使用民意而絕對避免對立；我們注重自我的發展且遵守團體的秩序；我們了解宗教的神聖而禮拜神祇……一切在自尊與自律下重新生活，從五戶、十戶、百戶……而千戶。這不是桃花源、也不是香格里拉；而是一個人類重建生活秩序的開始！至此，天地了無缺憾——陽光逐漸突破濃密的雲層……

——這是個崩潰的世代……
也是個重建的時代
人們，自浩劫後餘生
緩緩地向這裏依歸
學習如何容忍
學習如何關愛
學習如何自律和觀照自然
帶著虔誠和虛敬的心
等待黎明——

——「原載一九八八年聖女春秋」

〈附錄〉

回家

‧1‧

妹仔快回到家了！我聞得到把拔的氣味！

落日疲憊地掛在巷子口那棵老龍眼的樹梢下方，似乎已不堪負荷一天的勞累；鄰家的鴿子們也一一飛回了鴿舍，相互梳理牠們風雨後的羽毛；晚風含著蕭瑟、帶些滄桑，正舔舐它們旅程後的疲累和塵煙；柑仔店門口仍然聚集了很多熟悉的面孔，倒帶的依舊只是些陳年回憶；而我，拖著臀部步履蹣跚……

「妹仔，那是妹仔！」一群老人家從柑仔店衝了過來，圍繞著我、撫慰著我的頭；「好可憐喔！自己一個人竟然從蘭潭爬了三天找到路回到了家……」他們以憐惜的口吻吱吱喳喳著。

我，全身都是病，有些耳聾、輕度白內障，雙腳瘸了，勉強能拖地以臀部移動身軀；現在的我更是狼狽不堪，渾身是傷、全身汙泥，因為拖行太多路途的雙腿和臀部都已破皮潰爛，血絲不斷滲出；傷口上夾雜了太多的泥沙、小石礫，哀痛與不捨；刺痛一陣陣從後雙腳漫延至身軀、腦部，每一分每一秒啃噬我的每一條神經，我只能咬緊牙關，我已經快撐不住了！

我在一個不知名的小山丘迷了路，經過了三個太陽二個月亮，憑著馬麻星星的指引和回家的意念；尤其放心不下的是把拔，他一定心急如焚；我更不放心他一個人獨自坐在長廊，從黃昏到夜黑了，等待那顆馬麻星的閃爍；我要回家、我要回家，我要把拔！

聽人們說，一個人在過往前，一生經歷的影象會在眼前快速翻轉播映；而現在，我的眼前有許多往事的拼圖，拼湊完成後旋即崩落；另個拼圖又接連快速拼湊完成，緊接著又崩塌……不斷地亂碼更迭替換；我很擔心，是不是我也要變成天上的一顆小星星去陪伴馬麻星呢？是不是再也回不了家要丟下把拔呢？忍著椎心的刺痛，我用盡僅有的力氣拖地爬行。夕陽正迅速下沉，老龍眼的樹枝似乎也掛不住沉重和哀傷……

家，就在前面不遠處了，半掩斑駁的大門仍舊寫滿滄桑；我聞到了把拔的氣味，他一定還在長廊上等我，等我一起看天上的馬麻星……

·2·

在我雙眼還未睜開前，我就已熟悉那個氣味了；他餵我喝奶，把我捧放在他削瘦的胸前，溫柔的拍我的背，讓我打嗝；「妹仔，喝飽了沒？快快打嗝才會快快長大呦！」打了嗝了，他溫柔地撫摸著我的頭，一路到背後；我小小的雙手搭在他的肩頭，雙腳蹬在他的手掌，安了心、夢正香甜，輕輕地打起呼來！他會把我抱在胸前老半天，看著我，捨不得把我放回小床上！那股氣味，在腦海中烙成了胎記，再也洗不去了！

「馬麻快來，妹仔睜開眼睛了！」

一陣急速而帶著歡欣的腳步聲迴盪在空洞的日式木屋裏，我輕輕睜開一隻眼：眼前是一個理著小平頭，髮鬢略些斑白的中老年人；另一個是梳著小髮髻的婆婆，而週遭繚繞著的是那股熟悉安心的氣味；我好奇地滾動小眼珠，而後再緩緩睜開另一隻眼；「妹仔，我是把拔、她是馬麻，妳的名字就叫妹仔，知道嗎？」我咧著嘴，不斷吮著雙唇；「妹仔要喝奶奶嗎？我知道妹仔肚子又餓了！」那胸前、那雙掌，是如此熟悉、如此溫暖；此刻，我知道我是最幸福的小孩，有把拔，也有馬麻疼惜！

我有專屬的小房間和小床，小床上總鋪著最幸福最柔軟的被褥；把拔和馬麻總是準時餵我喝奶；夜半三更，我微瞇著眼、輕打著呼，我知道把拔躡手躡腳靠近了我的小床，然後將我輕輕抱在胸前，撫摸我的頭、我的背、我的身體；我故意伸了個懶腰，微微舞動了一下我的手腳，旋即又打起呼來；夢裏的國境是個安詳的天堂，有最翠綠了的草原和最繽紛了的花園，我在草香和花香中快樂盡情地奔跑，當然，更重要的是還有把拔身上那股最熟悉的氣味一路伴隨著我！把拔滿足地端詳了我好久，把我放回小床，然後又悄悄地回房……

「妹仔，站起來，走到把拔馬麻這兒來！」日式的檜木長廊像一條無止盡的路，從沒想到走完長廊就是走完一生；檜木地板拖得乾乾淨淨，那是馬麻長年刷洗的結果，每塊木板會呼吸、會吐氣，身上的年輪或已被切割；歲月走過的痕跡仍然記錄在上面，經歷了多少的滄桑！

「妹仔，妳最勇敢了；再站起來，走到把拔、馬麻這兒！」我看到他們兩個在長廊那頭招喚我，臉上儘是笑意；我踉踉蹌蹌，摔倒了再站起來，一步一步，剩下最後二步，我一鼓作氣投入把拔的懷抱，還不住伊呀伊呀地撒嬌；馬麻輕撫著我，扳起我的小臉，認真地跟我說：「妹仔，馬麻知道妳是世界上最最漂亮的小女生了！」我用黑白分明的大眼看著她，斜偏著頭；他們二人看著我疑惑的表情，笑得更大聲了；把拔還把我舉在空中飛舞，真的，那時我自己還以為我是會飛的小孩哪！

把拔很溺愛我，我也無時無刻黏著他，到房間、去前埕、去後院，甚至把拔上廁所，我都要趴在他的身上；馬麻很嚴厲，她的眼睛很銳利，眼神會說話，告訴我哪些事可以做、一定要做，哪些事不能做；其實她很慈祥。

「妹仔，妳是個好女孩，要自己上廁所，在很多人面前不可以亂跑、亂叫；後院菜圃裏的菜、前埕花園裏的花不可亂摘、亂踩；走路要有走路的樣子，坐也要有坐相……」馬麻跟我講道理的時候，我一絲也不敢亂動，乖乖地坐直身子聽她說話；馬麻總是撫摸著我的頭說：「妹仔最懂事了，知道馬麻講什麼。」

每天黃昏，把拔、馬麻和我，總會在社區錯綜的巷弄中散步，一起數歸鳥、一起看日落、一起聊天；我最乖了，從不亂跑，視線總是投注在他們身上，一刻也不離開；社區裏的每個人我都認得，也會跟他們打招呼；「老楊，你們家妹仔真的越長越漂亮了，又這麼乖巧懂事，帶給你們很多歡樂吧！」把、馬二人總是頷首道謝；晚餐前，回到了家，我們三人總會在長廊上坐一小陣子，等天上的星星都露臉才一起去吃晚餐！

晚上睡覺時，我常偷偷起床，躡手躡腳走進把、馬未關門的房裏，看看他們是否還在；而把拔總是會伸出他寬厚溫暖的大手，輕輕摸著我的頭小聲說：「妹仔，不要吵到馬麻了，去睡吧！」我才滿意地帶著睡意走回房間躺在我的小床上鼾睡……

．3．

把拔生病了，他好幾天沒有和我一起坐在長廊上等馬麻星出現看馬麻了！

「妹仔，妳最乖了，我知道這些日子以來還好有妳陪伴把拔、馬麻，帶給他們很多歡樂；可是，馬麻走了，把拔生病了；妳健康變差了，生了病又瘸了腿，把拔沒辦法再照顧妳了；大哥哥對不起妳，我知道妹仔妳會了解大哥哥的心情，也會原諒大哥哥這麼做！」大哥哥緊緊抱著我，眼眶裡含著淚光；我心如刀割，其實大哥哥並不懂得把拔需要我，雖然我瘸了、殘了；但每天陪伴著把拔，陪他看馬麻星是他和我最後的願望了！也是我們三人的約定。

「妹仔，這是妳的床和被，這兒還有些乾糧；大哥哥不得已才這麼做，妳不要恨我、不要埋怨我！」大哥哥臉上流下了兩行淚水；「妹仔要照顧好妳自己，大哥哥真的要走了！」大哥哥又回頭抱緊了我，把我和我的小床放在一棵大樹下；我怎麼會怪他、埋怨他呢？我只是放心不下把拔；其實我心裏明白，即使我死了，也會化成一顆妹仔星陪在馬麻星身邊；可是我真的是放心不下把拔呀！我癱倒在小床上，希望天色趕快暗下來，馬麻會在天上看著我、看著長廊上把拔孤單的身影！

一陣騷動，一群如鬼魅般的黑影圍繞著我；他們不發一語對我展開了攻擊，打我、踢我、踹我，搶去我的被和我的乾糧，亂腳把我踢下一個小斜坡，然後得意地揚長而去，只留下一絲冷笑迴盪在小山丘中；我沒哭，也沒有喊叫，馬麻一再教我；我卡在斜坡的小樹，渾身是傷；天色在靜謐詭譎中暗了下來，我孤伶伶地躺在亂石坡的草叢石堆中，不只全身刺痛，更是心痛！

暗夜中的星星一顆顆點燃了，馬麻星也出現了；「妹仔，馬麻知道妳最愛把拔了，妳也是最勇敢的女孩；站起來，回家去，把拔需要妳，馬麻會指引妳回家的路！」昏迷中，我聽見馬麻的聲音在我耳邊響起，灰濛的視線中，我感覺到馬麻正撫摸著我的頭；「回家吧，妹仔！」

傷痛在身上抽搐，我掙起身子，用雙手緊抓著雜草堆，用力將後半身往上撐；「加油！妹仔，妳一定可以做到，把拔在等妳回家！」每一次撐起身子，劇痛就如漣漪般擴散至全身，我不喊痛、咬緊了牙關，一吋一吋……一道閃電撕裂了黝暗漆黑的天空，如鬼域般的小斜坡著實嚇人；不久，下起了滂沱大雨，如箭如子彈般打在我身上，我又滑下斜坡，再度卡在小樹旁，我又餓又冷又痛……

昏厥了過去……我好像看到了馬麻星身旁有一大一小的星星隱約在閃爍！

·4·

每一年，大哥哥、二哥哥和大姐姐總會回來一、二次，還帶回來很多個小朋友，家裏頓時熱鬧了起來；馬麻整天在廚房裏忙進忙出，汗水下仍然掛著笑意，煮一道道鮮美的食物；把拔和大哥哥們坐在客廳裏泡茶、聊天，聊些我不太聽得懂的事；把拔把我介紹給那些小朋友，叫我跟他們一起玩，我跟小朋友在前埕的小草地上翻滾、跑跳，飛越一叢叢花朵；玩累了去後院幫把拔澆水，希望蔬菜快快長大；我和小朋友很麻吉，最後玩起水來，把全身都淋濕了；「妹仔，來，吃點心囉！」馬麻給小朋友一個人一盤小點心，每個小朋友都搶著分給我吃；平常馬麻是不准把拔給我太多零食吃的，只有這一天是例外，我很開心！

黃昏了，大哥哥們回去了，小朋友也都走了，家裏又只剩下冷清，小朋友的笑靨仍在空闊的院落中盪漾；我、把拔、馬麻仍舊三個人在社區的巷弄裏散步，我收起了玩心，專注地陪把、馬二個；他們二人沒有說話，只是兩手緊緊牽住了對方，沉默地走著，看夕陽從老龍眼的樹梢沉落地平線；按照往例習慣，回家後帶上木門，我們三人又坐在檜木走廊上等著看星星現身……

日復一日、年復一年……

·5·

我有過一個男人和三個孩子，三胞胎孩子，那是我一生中最美麗的逗點！

他長得高大威猛，尤其穿上飛行裝更是帥到爆！他身上的肌肉非常結實，神情非常沉穩，眼光堅毅而強悍；任何一個女孩兒見到他很難不為他傾倒，我也不例外。他是袁把拔、袁馬麻的孩子，他們常來我們家做客，我們二家人經常到山區去健行，投宿一家不知名的民宿。

有次，我們去一個民俗村遊玩，那兒景色非常優美，有一灣長長的水塘和橫跨水塘的長橋，依地形蜿蜒在小徑兩旁，緋紅櫻正怒放，壯烈並緋紅了整片天空；水塘旁空闊的草地柔軟如地毯，翠綠了所有人的眼簾。把拔和袁把拔同意我們自由活動，我們快樂地一起奔跑，飛馳過長橋，興奮之情全掛在臉上；他一個箭步衝上路底的城堡，我還來不及反應，也還沒爬上階梯，只見他，像一隻鳥般從二樓高古堡城垛間飛躍而下；不只是我被嚇得狂喊，連城下路過的遊客也驚聲尖叫；他，躺在血泊中，他，沒有哭也沒有叫，眼神仍然十分鎮定；袁把拔顫抖抱著他去洗手台洗去嘴上的血漬，並仔細檢查他的身子；他撞斷了一顆犬齒，犬齒穿透上顎插進腮幫子；在醫院中，醫生開刀為他取出掉落的犬齒，他，仍然鎮靜如常，不哭；而我，第一次了解什麼是掛心！

他是個盡責的男子，守護著袁把拔、馬麻和我。泰瑞古道幾已斑駁不可見，雨後滋生的叢草早就吞噬了古道上的青斗石板；古道依稜線的走向而迂迴曲折，兩旁是日治時所植的南洋杉林，如一座座綠色的塔佇立在群山間；古道上寂靜異常，可見已許久未有訪客的到來。我的男人，他總是為我們開路，走在最前頭，並隨時回頭來查看我們是否安全；古道途中有一座亭子，身子略顯破敗而蒼涼，我們在亭中暫停休息並喝水喘氣；而我的男人，他會用最溫柔的眼神看著我，而後站在亭子前方為我們守護。他是個令我醉心的男子！

婚後我生了三個小囝仔，剖腹生產，時值酷暑七月，燠熱難耐，我靜躺在床上餵小囝仔吸奶；我的男人和袁把拔、袁馬麻來看我們了，他溫柔地親著我，並仔細端詳我們的孩子，而後輕輕的吻著他們；他守護在我們母子床邊一天一夜，寸步不離，除了把、馬和袁把馬外，不讓其他人靠近我們母子四人！

我的男人回去後，我因產褥熱被送進醫院急診三次，每次我總是掙扎著要回家照顧我的孩子；最後一次醫生警告把拔、馬麻，如果再讓我哺乳，可能就沒命了；可是一回到家，看到床上的三個小囝仔，仍然把他們攏抱了過來餵奶。「妹仔，醫生交代妳不可以再餵奶了，何況妳也沒了奶水；妳不要擔心，把拔和馬麻會代替妳餵他們喝奶奶！」在昏迷前，我清楚地看到把、馬二人輪流餵小囝仔喝奶，尤其是把拔，他捧抱著我的孩子吸奶，而後將小囝仔輕抱在他胸前拍背，那幕景象，那個小囝仔就好像當年的我；我想：小囝仔們一定也會熟悉並喜愛把拔身上的那股氣味的！

因為把拔馬麻年紀不堪負荷再養三個囝仔了，因此袁把拔來家裏把我的孩子們帶走，那是我最後一次餵他們奶；後來聽說袁把拔也無法承擔如此勞累，也病了，身邊只留下了小王子哈利和我的男人。我不知道另二個囝仔在那兒；不過，我知道他們一定也會有好的把、馬疼愛他們，和把、馬快樂地生活在世界上的某一個地方。

袁把馬和我的男人、小王子哈利再也沒出現過！他們是我生命中的逗點，也是心上的驚嘆號！

·6·

生活仍然一如往常：晨起，馬麻會去前埕的花園裏修修剪剪，或新種些植栽，有時也會將花樹移植到盆中擺放室內；把拔去後院整理菜圃，順手摘採些蟲啃過的菜蔬；我，比他們更忙碌，一會兒跑去前埕、一會到後院看把拔，深怕他們會不見。馬麻在廚房裏弄餐、把拔在書桌前沉思，手拿著筆，我不敢驚擾他；等把拔放下了筆、伸了個懶腰，我會快步衝向前去，撲在把拔的雙腿間，用撒嬌的眼神要他抱抱；把拔從不吝惜抱我，讓我在他臉上親他、吻他，他會溫柔地撫摸我的頭、我的背；很快的，我又輕輕打起呼來……那臂彎是如此熟悉、如此令人心安！

傍晚時分，我們仍然在巷弄間散步、欣賞落日，並在暗黑來臨前坐在長廊上看星星的出現。

把拔一週總有二、三次背著書包出門，把拔跟我說他要去給小朋友上課，要我呆在家裏保護馬麻；我很懂事，靜靜地跟把拔走到門口，看他出門、闔上木門；我回到屋內，陪馬麻看看電視、聽聽收音機或播放音樂。屋子裡很空曠、很安靜，連呼吸都可以聽得到迴音，同時也洋溢著一股淡淡的檜木味；馬麻有時會拿出一些老相片簿，打開相本一張張端詳，一面告訴我：「妹仔，這是大哥哥、那是二哥哥，旁邊綁小馬尾的是大姐姐……」我歪著頭和馬麻一起看老照片……一直翻到大哥哥的小朋友；馬麻輕撫著我的背，整個人好像陷入無盡的沉思……而後斜躺在沙發上，睡著了！我仍緊緊守護著她，片刻不離，直到把拔回家。

如果把馬同時穿好外出服，並把我的小床、被被帶上車，那是我最高興的時刻了！我內心雖然澎湃洶湧；但仍然要馬麻叫我我才會趕緊跟著他們衝上車，我知道，我們全家三口要去山上渡假了！

那天是春節初五，大哥哥們全都走了；「妹仔，把拔馬麻帶妳去一個可以更清楚看到星星的地方，妳高不高興？」我當然高興，可以賴在馬麻的懷裏，一邊親吻開車的把拔。因為過年，馬麻幫我穿了件艷紅的鳳仙裝棉襖，並在我的頸部繫上了一條紅絲巾；「妹仔，妳有沒有漂漂？妹仔穿上鳳仙裝是世界上最漂漂的女孩了！」馬麻捧著我的臉、看著我跟我說；我站直身子，雙手搭在車窗上，向路過的車子和行人驕傲地展示我的衣著；馬麻小心翼翼地扶著我的身子，深怕我因車子顛簸搖晃而摔倒。

車子離開了煩囂的都市，沿著小路從山腳蜿蜒至山腰，高樓大廈換成了原住民部落的畫面；沿路盡是潔白的李花，在陽光下看來更雪白了，滿滿飛白了整棵樹；山櫻參差錯落在李樹間，大可合抱，雪白花海中一片嫣紅，襯托澄淨透藍的天色和山群環抱的翠綠，就像一幅畫；而部落住家前狂放的九重葛，不吝展現他們桀驁不馴的臉龐，枝椏直指天際；偶而路過一座小橋，橋下溪水潺潺，一路熙熙攘攘或竊竊私語，不知他們聊些什麼？黃昏之間，我們抵達一家民宿。

民宿正前方有一片高原台地，台地上儘是無盡蔓延、嫩綠鵝黃的草原；草原四周環繞著一排年輕的山櫻，每棵樹，即使再小，仍然綻放一樹的火紅；也有三、二棵老李樹，一身雪白，白得很燦爛。從台地望去，遠方的雪山山脈，層層堆疊層層遞，由綠轉淡轉灰，最遠方模糊了的山稜上掛著一顆蛋黃般的落日；不像我們家的落日老是掛在老龍眼的樹梢。天色逐漸暗了，黑，聚攏了過來，由遠而近，進而吞沒了我們週遭一切的景物；把馬斜坐在二張躺椅上，我坐在把拔的雙腿間，身上披了件毛毯；把拔馬麻手握著對方的手，看山嵐從我們身旁悄悄走過、而後散去；前方的天空瞬間換上了另一個佈景：一條星光的河，從天空的這頭洶湧至天空的那頭，隱約中可以聽見星河流動的聲音；星光的背景是一片無盡透明的絲絨藍，沒有摻雜其他顏色，只是藍；老李樹垂下枝椏上的李花，混搭著星星，讓人分不清是李花或星光，星星彷彿隨手即可摘下。

「妹仔，看到了沒？那兒有一個最閃亮的七顆星群，我們的家就在七顆星的正下方；如果你迷路了，只要依著那七顆星的指引就可以回家了，知不知道？」我懂事地點了點頭；「妹仔，如果有一天不管誰先走了，記得要在那七顆星下面化做一顆星，等待另外二個人；有一天，等我們化成了三顆星，就可以全家團圓了！」我瞥見馬麻緊握著把拔的手，眼眶中噙著淚光；空氣在一瞬間凝結了，滾動的是一片真心。我們三人默默許諾。

那是我們最後一次旅行到遠方，離開家。

・7・

馬麻突然不見了！家裏一片天搖地動！

大哥哥、二哥哥、大姐姐和小朋友們全回來了，他們的臉上全寫著悲泣；只有把拔一臉木然，呆坐在長廊上不發一語，尤其是傍晚時分；我很懂事，只是陪著他，靜靜地坐在他的身旁，讓他可以隨時摸撫得到我！

「爸！您就跟我一起住吧！我家，大弟、小妹家都可以的！」大哥哥在把拔身邊坐下。

「……」

「媽不在了，您的年紀又那麼大了，誰給您煮飯、誰來照顧您呢？跟我們一起住吧！」

「……」把拔伸出了手，我趕快靠了過去，讓把拔能摸得到我。此時，夕陽正掛在老龍眼的樹梢下方，一吋一吋地下沉；天邊最後的一絲光線也暗了，星星，一顆顆出現了。

「只有您一個人住，萬一您有個病痛，我們三個孩子都住太遠了，就怕遠水救不了近火；我們又都各自有工作……」大哥哥不安地搓著雙手。

「……」我輕輕地親吻把拔的手；他的手看起來有些削瘦了！

二哥哥、大姐姐都靠了過來，「爸！我們求求您答應和我們一起住好不好？」

把拔輕輕地環抱了大哥哥、二哥哥和大姐姐，「我知道妳們都很有心；但是我怎放得下這幾十年跟妳媽的記憶？」把拔口氣有些哽咽，「而且有妹仔陪著我，妹仔，妳會照顧把拔、保護把拔對不對？」把拔抱起了我，像我小時候一樣抱在他的胸前，我把雙手放在他的肩膀上，輕柔地親吻他；「你們放心，如果我有不舒服會打電話給你們的；何況你們那邊，怎可能會有你媽和我一起觀賞的夕陽和星空呢？」把拔語氣很堅決、很肯定；我知道把拔不會拋下我，我也會用我的生命守護著他；因為，我、把拔、馬麻三個人有過誓約呀！

大哥哥們又走了，家裏更冷清了，迴音也更大更響亮了；前埕的花園沒了馬麻的照料，花和樹也沒了精神，不多時全枯了、荒廢了；後面菜圃也全讓給了菜蟲和雜草，不再有鮮紅的番茄、鮮翠的菜蔬和玉般雪白懸吊架上的苦瓜了！把拔的話更少了，經常雙眉緊鎖；腳步有些蹣跚，也更顯沉重；每到了黃昏，我總是催著把拔一起去巷弄間散步，我亦步亦趨，一刻也不敢離他太遠，因為我答應馬麻要照顧他。

「老楊，還好吧？看開點，社區裡這樣的老友也不少咧！」「可以多來和大家一起聊聊！」老龍眼樹上方的夕陽顯得有氣無力，有些病懨懨；「妳家妹仔好懂事、好體貼，都知道要照顧你哪！」幾個社區裡的老人家誇讚我，我知道，把拔現在只剩下我跟他做伴了！夕陽快完全落下了，我和把拔回到家、闔上木門，坐在長廊上等星星出現；我窩在把拔的臂彎裡，輕吻著他的手臂；「妹仔！看到了沒？那最亮的七顆星下方多了一顆閃亮的星星，看到了沒？那是馬麻在跟我們眨眼呢！」把拔的手指向前方的天空；真的，我真的看到了，最亮的七顆星下方真的有馬麻星哪！我看到了她的臉、聽到了她柔緩的聲音，依然是那麼慈祥；我和把拔靜靜地坐在長廊上，我們用心靈和天上的馬麻星交談，我們彼此都知道對方在想些什麼；一直到夜霧圍攏了過來，我們才回房。

晚上，每隔一、二個小時，我總是提著腳步悄悄去把拔的房間探視他，深怕他也會突然不見了；每次，我剛靠近他的床沿，他總是緩緩地伸出手，撫摸著我的頭、我的背，又輕輕地抱了抱我；「妹仔，妳真的好懂事、妳真的很乖；妳擔心把拔丟下妳也變成星星去陪馬麻嗎？」我把身子更靠向他，吸一口我最熟悉的氣味；「妹仔，不然妳來睡把拔的床邊好了。」把拔把我的小床搬進了他的床邊，這樣我就放心多了；只是，每一個夜晚，我仍然會常常睜開雙眼，看看把拔是否睡得安穩！

日復一日、年復一年……我和把拔在夜空中和馬麻星一起對話；當然，我也沒忘陪把拔去散步、去看夕陽等日落——

·8·

把拔的腳步更沉重、更蹣跚了，連跟馬麻星對話的語氣也顯得有氣無力、遲緩了許多；大哥哥們回來的次數增多了，不管大哥哥們怎麼哀求，把拔總是離不開這個老房子和馬麻星對話，當然，還有我。

我也老殘了，有些白內障，視線已不復以往銳利，腳力也不像往日一般勇健；但我仍然很勇敢，一拐一跛地，陪著把拔散一小段步，一起坐在長廊上等天黑和馬麻星見面。

把拔又生病了，躺在床上；大哥哥回來後趁把拔睡著了，把我丟棄在離家六公里外蘭潭的小山丘上！我沒怨過他，我只是掛心著把拔！我知道，把拔也會掛心著我，我不能讓他心痛！

·9·

「妹仔，加油！把拔剛剛跟我說他好想妳！妹仔，站起來，回家去，把拔正在長廊上等妳；妳只要朝著七顆亮星的方向走去就對了！加油！把拔需要妳！」一陣柔和的聲音在我耳邊響起，我悠悠醒了過來；我再次抓住叢草，用力提起無力的雙腳，小斜坡更滑了，在星光下才看清坡度多麼陡峭；身上除了痛還是痛，一波波漫衍至全身；寒意更是沁入骨髓，全身不住顫抖；馬麻星在夜空為我加油，天將亮了，我終於爬上了陡坡，馬麻星消失在初現的陽光裏！我的腦海中蝕刻了一份方位圖，那是馬麻星的方位；我確信只要朝著那個方向走，一定會找到回家的路、找到把拔！

我不記得接下來的兩個太陽一個月亮是怎麼撐過的，我只知道，山區淺丘的小徑起伏不定，一面是山壁、另一面是陡坡，碎石小徑將我拖行的臀部齧咬出一道道傷口，吮乾我流淌在地面的鮮血，拖出一條長長的血印；有時會滾落山溝，荊棘更在我被圍毆的傷口上灑鹽，痛澈心扉；好不容易走下淺丘來到馬路，酷熱的太陽炙烤著大地，馬路幾近沸騰，更在我傷口上點上火把，炙痛從傷口一分一分鑽進身軀，每個傷口都滾燙脹裂，每炙燒一個傷口，就引爆一次撕心裂肺的痛；每次撐起雙手拖著臀部爬行，就是一次凌遲剮剜，在柏油路上拓上一吋吋血痕，迤邐了來時路；我都沒有哭，心中只有一個信念：回家！把拔在等我！那個晚上，馬麻在天上告訴我：這二個晚上把拔都沒睡，一個人孤獨地坐在長廊上等我，跟馬麻說他很擔心我又沒有能力來找我，他邊自責啜泣；我聽了後整顆心都快碎了！我知道，把拔是不會不要我的，他也不是不來找我，他病了，他在等著我；「妹仔，妳是最懂事、最勇敢的女孩，妳知道把拔是愛妳的，他也需要妳！」馬麻在我耳際輕輕告訴我，並輕撫我的頭、我的背，我全身的傷口和已近潰爛的臀！有了把拔和馬麻的愛，再多的苦和痛我都願意吞下！

·10·

木門沒有關，從門縫中我聞到把拔熟悉的氣味，也看見了把拔一個人坐在長廊孤獨的側影；夕陽已掉落老龍眼的枝椏下方，暮色正逐漸擴張，星空逐漸點亮。我用盡全身僅存的一絲力量，「咿呀」一聲推開木門；「嗚嗚——嗚—汪！」我呼叫把拔：妹仔回家了！「妹仔、妹仔！我就是知道妳一定會回家來找把拔！」把拔危危顫顫走了過來，臉上老淚縱橫；他吃力地抱起了我，看到我滿身的傷痕和還在滴血幾近糜爛的後肢，不由得放聲大哭！

坐在長廊上，把拔緊抱著我，我的前腳已無力再攀在他的肩膀了，他把我環抱在他胸口，我聽得見他微弱的心跳聲；「妹仔，苦了妳了，把拔對不起妳！」我努力地搖搖頭：把拔是愛我的！

群星燃起，燦爛了整個夜空；馬麻展開雙手迎接把拔和我，「妹仔，回家了！團圓了！」

——「寫于二〇一二年七月」

卷二

花雖美，無根隨謝！

我們把門打開了

面對土地，面對殘破碎裂的土地；面對社會，面對變動激烈的社會，我們不得不謙卑——除了痛心——我們不得不打開塵封已久的心靈，讓風穿過、讓一絲良知甦醒，藉以修補陰暗角落中遺失的自我。

政府已經解嚴，人的心靈卻仍然戒嚴。在經濟巨輪的輾過和海洋文化的衝擊下，草根精神和在地文化已被扭曲和漠視，社會運動已向政治傾斜，尤其是嘉義人迷失在自慰式的民主運動中，大家長式的威權取代了由下而上自然湧現的自覺！

哪裡有我們可以聊以安慰的方向？嘉義市並不是沒有類似的團體：鳥會、生態協會；我們需要學習、全面地、廣泛地、多元地學習；向他們學習、向土地也向自然學習，敞開心胸，毫無遮掩的開放自我！

我們來自各個角落，各自扮演不同的角色；二、三年的醞釀二、三個月的相處，讓每個人都知道自我的不足；尤其是「稅務出張所」的搶救功敗垂成，讓我們更了解到必須向土地、向人民謙卑，於是：我們組成了嘉義市人文關懷協會。

我們把心打開、也把門打開了；

歡迎你入內坐！

——「嘉義市人文關懷協會」成立發刊詞

弔——嘉義市「稅務出張所」之死

當怪手高高舉起牠的巨爪時，我實在可以想像：六七十年來，儘管改朝換代、不論政黨輪替，他，依然秉持他慣有的身姿：流暢、簡潔而不失莊重典雅；然而，在粗暴蠻橫的決策和陰沈凝滯的天候下，他，已經被屠殺！

他並不蒼老；但在嘉義市史上，應有他存活的歷史地位和價值。數十米筆直的身軀，洗石子披穿土黃丁掛磚，容態莊嚴穩重；日據晚期包浩斯式的二樓穿堂，仍帶有大日本帝國的雍容與肅穆；牛角式造型的銅製旗座，輪流飄揚過太陽旗和青天白日旗；而身旁的白川宮能久親王小公園和豎立道光年間的石碑，更足以讓他在歷史中留下時間的見證！

只是，號稱民主聖地的嘉義市，市民似乎只有自慰在噴水圓環政黨對決大遊行的炮聲濃煙之中，絲毫沒有了解民主的真諦、更絲毫沒有存留歷史記憶的觀念！因此，市政當局在人民的漠視下，仍然沒有擺脫戒嚴時期舊式的思維模式和專制手段，肆無忌憚、蠻橫粗暴，不管文化團體和專家學者如何聲嘶力竭急呼保存，不管「新市政中心」是如何華而不實、浪費公帑；一意孤行，拆除了稅務出張所！

雲林小鎮虎尾，能保留與稅務出張所約略同一年代的「虎尾郡役所」；為何嘉義市如此無知？

天空飄起了些毛毛冬雨，似乎在為被屠殺的稅務出張所低泣！一切都已自歷史和記憶中被剷除了；只留下滿地殘破的磚瓦和泥地上怪手履帶的痕跡！稅務出張所被毀固然可悲；將有更多的歷史建物被拆除更加可悲；尤其可悲的是：嘉義市史將出現歷史的缺頁；而嘉義市民罹患了歷史失憶症！

──「原載二〇〇二年一月二十六日中國時報時論廣場」

解放的年代

在衝激強烈的八〇年代，我的故鄉──一個古老的、純樸的小鎮北港，似乎沒掀起任何本土而自主性的浪濤，小鎮的人民心靈依然封閉，一如往昔。

回到故鄉執教的我，目睹台灣幻化萬千的政治和社會，八七年寫完最後一首長詩「等待黎明」後，我便歇了筆，積極籌設文教基金會，試圖從文化重建工程的路途切入，為自己封閉的故鄉找一個缺口、一條出路。在八〇年代的最後一年，八九年中，「笨港媽祖文教基金會」成立了。

一年半百餘場次的各類大小型活動，副刊全版的登載、全國文化版的頭條和地方版新聞的介紹，固然給北港鄉親有了豐富的文化盛宴；也給基金會成員莫大的鼓舞。「但是你的腳步走得太快了，其他人跟不上。」一個幹部告訴我。在公共場合我不吝表達我的看法：「其實文化活動不是目的而是手段；我們要從義工組織去開拓鄉親心靈的自主、自我鄉土意識的覺醒。」因此，義工委員會的成員不單單只是「義務做工」；義工委員會透過民主程序自組其委員會，享有向董事會爭取活動經費的權利和接受董事會質詢委員會執行活動成果的義務；尤其社區月報《笨港雜誌》的筆，更深入土地，關心飲水、關心交通、關心教育也關心居住環境；尤其關心地方公共事務——鎮政弊端的發生。結果發生了：我們不介入政治；但地方政治勢力介入了基金會。基金會自廢其由下而上的自主性。

九一年初我宣布退出一手創辦的基金會，九〇年代中，我積極為民進黨員和黨外人士助選；九八年初自己投入鎮長選戰。九年來沒有一次成功——因為在這已經解放的年代中，我的故鄉仍然封閉；

封閉如四百年前的笨港。

「原載一九九八年九月十六日於中國時報人間副刊」

痛失仁甫

——基金會到工作室
憶陳家湖老先生

一、初謁「家湖仙」

一九八四年，我從土庫調回自己的家鄉——北港高中服務。八四年十月，我為學校籌一個大型的古典詩歌吟唱會，需款約六萬餘元。除鎮長補助三萬元，學校、朝天宮補助及自籌款各五千元外，尚缺經費約二萬元。這時唯有向熱心公益、愛好文化活動的「家湖仙」求助了！之前，我和「家湖仙」素未謀面，冒昧求見，「家湖仙」竟然毫不猶疑地答應了二萬元的捐款給陌生的我。（當時，我任教月薪餉尚不足萬元！）

二、「笨港媽祖文教基金會」籌組經過

八八年底，笨港水仙宮總幹林永村先生邀請我籌備「笨港媽祖文教基金會」，自然而然地，我又想到了「家湖仙」。我們連袂拜訪「家湖仙」，向他報告文教基金會成立的宗旨和工作的方針，並敦請他出任基金會籌備會董事長，以便帶領我們這一批後生小輩邁向社會教育和文化重建工程的道路；「家湖仙」也毫不猶疑地答應了！八九年農曆年後，七五高齡的「家湖仙」帶著我和林先生，陸續拜訪笨港地區各寺廟負責人；並分別拜訪朝天宮董監事十餘人每人三次，參加朝天宮董監會三次，以尋求成立基金會龐大基金和運作經費的奧援。八九年中，基金大抵已有著落，「家湖仙」率先捐出二十萬元基金及十餘萬運作經費以為響應。同年九月廿一、廿八

日，在胡茵夢小姐的演講和聯合報副刊「文學出外景」的專輯採訪中，「笨港媽祖文教基金會」正式開始活動。「家湖仙」在眾人請求下並出任基金會第一屆董事長；我則力辭基金會常務董事職務，兼任董事會與義工間具有橋樑性質的祕書處祕書長工作。

三、「笨港媽祖文教基金會」三年有成

此後三年，基金會在「家湖仙」充分授權及義工委員會之和合努力下，不但每年與地方民俗花燈展結合為一，並獨自舉辦了大大小小一百多場超過十萬人次的各類型文化社會教育活動，從果陀劇場、葉樹涵等師大教授聯合音樂晚會、簡上仁田園樂府、優劇場、新美園歌仔戲、南、北管演奏、九歌兒童劇團、省立交響樂團演奏會；明華園歌仔戲到義工組訓、中醫通俗講座、農藥中毒之預防與治療及「北港宗教文化園之設立」等不同領域的表演或演說，講

座，講師則有胡茵夢、孫越、曾昭旭、余光中、陳玉峰、林俊義、苦苓、劉還月、李乾朗、陳秀惠……等知名人士；尤其在九〇年底召開全國「地方文教基金會座談會」，共有六個地方基金會或團體參加，首開地區性文教團體合縱連橫的先河。基金會三年中並出版了「笨港史真相（一萬冊）」、「新聞剪報傳真二百餘篇」及作為鄉土文化補助教材的笨港史圖說——「我來講古給恁聽」一萬冊（由基金會董事李勇君提供經費）和基金會簡介等專書，一時風起雲湧。民間活力突現；雲林縣五大鄉鎮合議籌組各地之文教基金會，由民間社區主導的文化重建工程似乎一片欣欣向榮……

四、「笨港媽祖文教基金會」成功的主因

綜觀基金會三年多來，從無到有、從十餘名義工到近一百七十名義工；何以如此充滿活力、如此蓬勃發展？「家湖仙」在經濟上

支援先後不下百餘萬元只是原因之一；重要的是，每場活動「家湖仙」從不缺席，鼓舞了義工的士氣；更重要的是，「家湖仙」對基金會的建制、義工的組織和「笨港雜誌」的發行採取了信任而充分授權的精神。笨港媽祖文教基金會摒棄了一般基金會的義工只「義務做工」的觀念，成立「義工委員會」（共分六個委員會、十二組），委員會可自行提出活動企劃案，由主任委員親自參加半年一次的董事會，向董事會爭取年度活動預算，通過後並由該案委員會自行主辦該項活動，從企劃、執行、檢討到經費的編列、支出，完全由該委員會負責；此一制度，不但提高了義工的位階，讓義工有充分的參與感，並且也可藉此訓練菁英義工的行政能力、熟悉民主制度的運作。而直屬董事會監督的社區報——「笨港雜誌」的發行，不但聯繫了基金會與全民的文宣橋樑，更參與地方事務之建言、針砭；也倡導了民主潮流、喚醒地方父老關心國是的目的。

因此，雜誌不但關心八九年的「草山論劍」，也關心地方的交通、治安、建設甚至青少年的休閒活動與空間。九〇年鎮公所標售原北港國中分校校地一事，本會亦予以關切建言；即使因而引起地方利益團體的撻伐，「家湖仙」亦毫不考慮挺身而出，為「讀冊人的骨氣」做一最佳的詮釋！

五、從基金會到「北港文化工作室」

九二年第二屆董事會改選，「家湖仙」毅然退讓，離開了他所創辦的笨港媽祖文教基金會和他一手栽培、提攜的義工；隨後我與創會的近十名義工菁英亦相繼退出基金會。九四年我們向「家湖仙」報告，欲籌組「北港文化工作室」，更不斷獲得老董事長的精神支援與鼓勵，彷佛又重獲基金會草創時期的熱忱。九五年春、夏，文建會委託廣電基金會製作的地方文史工作團體介紹專輯，

「北港文化工作室」忝列其中，製作單位並三度造訪「家湖仙」的「一息園」專訪拍攝；「家湖仙」對鄉土的愛、對家園的愛、對強權的不屈仍然從他古稀卻洪亮的講話聲中流露出來……想不到專輯尚未播出，「家湖仙」卻突然離我們而去，惡耗傳來，令人驚愕！

六、「家湖仙」的仁者風範

在未親炙「家湖仙」教誨之前，我僅知「家湖仙」為人謙沖，造福鄉梓；對公益、文化活動不遺餘力。曾任南陽國小、北港高中家長會長各長達二十餘年；尤其個人支持「北港樂團」超過一甲子之久，久為社會人士所共景仰，子女皆留奧習樂卓然特出，更有「音樂世家」之美譽！在「笨港媽祖文教基金會」的因緣下，有幸在「家湖仙」門下親近六年餘，不但確信社會人士對他的稱頌；也從他老人家身上得到人生上太多的啟示！「家湖仙」一再囑咐：「讀冊人要有讀冊人的骨氣！」他常以清笨港學社「聚奎閣」的精神來勉勵我們，多關心地方、關心台灣，用真心去愛鄉土、愛台灣；對強權的迫害，切莫斫傷熱忱，尤莫退縮。把訓誨過的話，印證他的一生，更可展現他的偉大！「家湖仙」為人耿介、剛直，對地方不平不公之事，總是仗義執言；於地方豪紳勢利，更是疾言不諱、不假辭色！然而他對後生晚輩，卻口語溫煦，委婉垂訓、視如己出；即或有瑕，亦不忍苛責，反以鼓勵代之！每次與他老人家晤談，如沐春風，如親仁父！然每次論及鄉土之淪沒、社會之亂象和台灣的悲哀，「家湖仙」高亢洪亮的聲調突然升高了許多，激動處，彷彿事關己身之迫切！針砭時政、批評國事，見地廣博而深入；關切地方，疼惜鄉土，有如宗教家之狂熱；而對地方事物之興革，無奈中仍有鞭辟入裡之宏論！尤在得知他老人家於二二八事件中，亦曾遭莫名之拘禁、酷刑達二個月之久，對鄉土、對台灣的愛仍然毫不減少，更是令我們欽敬！「笨港媽祖文教基金會」的成立，不但給我們後生小輩親炙北港這位仁者的風範；也讓「家湖仙」在晚年彷彿找到了他疼鄉土、惜台灣的管道。他全心全意投入基金會，運籌帷幄、奔波四處，可謂不知老之將至矣！九二年，「家湖仙」以七七高齡參加基金會敦聘蔡榮熙老師所開辦的「國畫班」，習寫之勤，他人弗如！九二年底卸任董事長之後，書、畫變成他治療挫折的良方，終日勤寫不輟；九四年，「家湖仙」舉辦他八十歲來第一次個人書、畫展，將一生熱愛鄉土、疼惜台灣的心寄情於書畫之中。開幕式中，我獲邀致敬詞，目睹仁甫之書畫，回想多年來在他引領下走過文化重建工程中的點點滴滴，不禁悲喜交加，久久不能自已！

七、痛失仁甫

今年農曆年初六，「北港文化工作室」同仁邀至「一息園」向他老人家請安，由於突有要事，我在一息園門外連絡同仁後未登門造訪即先行離去。初七同仁告訴我「家湖仙」仍然殷殷垂詢工作室近況；談及地方事務，家國大事亦高亢如昔，健康情況頗佳，心始稍安。不料初八下午接獲消息，老先生突然中風入院醫治，聞後心急如焚；與同仁想往醫院探病，但因其病況不穩，探訪未果。農曆二十六日晚十一時許接獲「家湖仙」四公子哲正兄來電，謂老先生已於前日晚安詳仙逝！一時之間如遭電擊，頹然無力！隔日週六，我在上完課後趕赴老先生故居祭拜，清香一炷，多年來深受老先生的愛護和照顧，又在他的引領下一起走過社會運動和文化工作坎坷的道路，百般滋味一起湧上心頭，不禁低頭痛泣、跪拜在地——

承蒙老先生長公子茂萱兄不棄，囑咐我將老先生當年創辦基金會的情形筆之於書、附之訃聞。回想這六年多來，「家湖仙」可謂吾之亦師亦友亦父矣！哀痛中草書如上，並泣輓一聯：

疼鄉土惜台灣以音樂譜成典範，

性仁禮行義德用書畫抒寫一生！

「家湖仙」之於我，

「痛失仁甫！」不能書寫其悲！

一九九六年三月二十日拉淚頓筆

遺失記憶的年代

秋的氣味確實近了！隔著木窗，窗外的稻田已吐盡新穗，由綠逐漸黃；遠方的阿里山脈，被灰藍的天空掩蓋，已沓無蹤影；三兩隻雀鳥斜過低空，突然丟下幾束陽光和幾聲啁啾！我把稿紙攤平在桌上，哎！對即將被折除、命運未卜的古鎮老水塔，我的心彷彿是天空中那朵起伏的白雲……

想像祂七十歲的外表，身材仍然優雅如往昔；只是皮膚烙著歲月的滄桑，時而斑駁、時而黝黑、時而有些剝落！二樓的窗子不堪風雨歲月的摧殘，毛灰色的玻璃破損得厲害了！而昭和時代巴洛克風味的拱形圓窗，仍然堅持著祂那個年代的風華……穩重而不失雅緻！水源地內的老榕樹最能描述這七十年來的一切了！在秋風中，老榕佝僂著背脊，撫慰著自己棕黃的鬚根，繼續佇立在紅磚外牆的老機房旁，向野放的小花小草敘述七十年來的改朝換代、風花雪月以及……人世冷暖！沉澱池和慢濾池雖然不再使用；但仍然雍容地貼近大地，池裏仍然沉澱著這些年來的風沙塵火、仍然沉澱著中年的我的一些兒時記憶！

記憶中的水源地和堤防外無垠的溪覆地是不能分割的！夏日正午過後，一群小孩打著赤腳、扛著釣桿、輪流舔著糖廠圓柱形枝仔冰，不遠千里從糖廠宿舍跋涉到水源地來，貪圖的是享受一下老榕的那片濃蔭和一樹的蟬聲！午后的水源地一片靜謐，工作人員都去休息了。翻過圍牆，我們在區內巡禮，尋找夏蟬、吸吮著燈籠花的蜜汁，靜看北港溪水被引進沉澱地內，渾黃的溪水似乎安靜下來，逐漸抹平了長途旅行焦躁的脾氣；摘幾朵野花、幾束芒草，編織著一頂頂童年的皇冠和花環！隨後我們越過堤防、穿過河川地的蕃薯田和菜豆架，撥開重重的菅芒到舊大橋橋墩下釣魚。我們很努力地釣著；不到十分鐘大伙卻統統跑下水了！我們撥水取樂，或自由自在喝著北港溪水練習狗爬式；有時也以腳趾輕撫溪床，從微妙的觸覺中撿取一顆顆溪蛤仔。當然，回程經過蕃薯田時，總不忘隨手挖走幾顆肥碩的蕃薯……

唉！這些記憶只有水源地區內的老榕樹才懂得的，只有水源地上的老水塔才能感同身受的；而記憶隨著堤防外被全數剷除的菅芒花絮散入無語的蒼穹！三、四百年前，我們的先人翻山涉水、強渡險惡的黑水溝，在北港溪河口地落腳生根，一面汲引北港溪水耕種稻禾菜蔬、一面藉北港溪水路運輸物資；爾後在溪的兩岸建立聚落、發展街廓，借季候風拓展海上貿易，船隻出入、郊行林立，號稱「小台灣」；北港溪河床上綿延不斷、層層疊疊的菅芒花，可以見證三百年前笨港的繁榮與興盛；而小高地上香火鼎盛、香煙繚繞的媽祖廟，更可以見證先人在此植根的強烈意願！七十年前，据台日人興建了北港水塔，仍然引北港溪水以供北港鎮民飲用。興建費用共花二十四萬日元，居全台各城市鄉鎮水廠經費第十二位，老水塔也足以見證在港口轉運沒落後的北港小鎮，仍舊以全台媽祖信仰中心的態勢繼續她的繁榮與興盛；而老水塔，正是沿續先民來台，篳路藍縷、開拓墾植、尋找乾淨水源而後落地生根的地標——

時代變了！人心也變得模糊不清了！水源地堤防外的溪覆地被開闢成「親水公園」（據說花了四千萬公帑）；飽受污染的北港溪，叫人如何親近？每年深秋初冬，一整片一整片翻飛的菅芒花、略帶壯觀與悲傷的菅芒花，只能在停格的記憶中去撿拾了！換得的是夏季水漲不見蹤影、水退後滿目瘡痍；而平時雜草叢生、無人親近的荒廢沙地！小鎮也現代了，道路一條條拓寬，引來更多的車輛佔據拓寬後的路邊；高樓商場一座座蓋起來，然卻一棟比一棟養了更多的蚊子；人們更富裕闊綽了，但似乎全得了歷史失憶症，遺棄了鎮內原有的空地、綠樹；遺棄了對宗教、人文的信仰和堅持；遺忘了北港溪水和北港人之間四百年來的親密關係；當然，更遺忘了這個小鎮從何而來、如何興榮也將如何走向頹敗！北港唯一的地標、北港人最後希望的表徵，北港第一水源地和老水塔即將被徹底毀壞，改建成商場、大樓和停車場；見證北港七十年來的老樹老水塔，亦將被硬生生地從歷史的記憶中連根拔除！

夕陽西下，落日的餘暉照映在西去嗚咽的北港溪水；一隻歸鳥穿越眼簾，朦朧的逆光下，我彷彿聽見了昔日港口喧騰的人聲與碼頭的吆喝聲；也彷彿看見遠離故鄉的先人，眼淚和著汗水滴落在異地繁囂小港口的溪水中！東方的天空逐漸晦暗，在堤防另一邊水源地裏的老榕樹們似乎也暗自喟嘆，背更佝僂、影子也就更加頹喪了！只有那座老水塔，仍然硬挺著優雅無懼的身軀，無怨無悔地站在小鎮的一隅，靜看黑夜將小鎮完全吞噬——

——「原載『笨港溪』雜誌」

北港公園一日「小事」記

‧天色微明‧

／天色微明，田徑場上已有人晨跑，厚重的腳步聲夾雜著低沉的呼吸聲喚醒了沈睡中的大地

／跑道兩旁，一群老者深吸吐納，氣運全身週匝，太極拳、香功、八段錦在慢鏡頭的比劃中，企圖天與地與人合而為一

／石椅上，兩兩老者，在晨曦中的石棹石椅上，或圍棋或象棋，展開人生另一場廝殺拼鬥

／有人，孤單地沿著環繞田徑場的步道漫步

／田徑場上，槌球在老者手中飛出

／球場上，網球和羽毛球，次第揭開汗水，陽光和吆喝聲

／土風舞為晨間帶來動感，婦女們居多；至於卡拉ＯＫ，伴隨著老掉牙的日本歌曲，荒腔走調的嘶喊聲，或讓隔牆早自修的北高學生皺眉；邊，老人槌球隊正「處變不驚」地競技；紅土的硬式網球場上，落地的球場捲起一陣輕煙；網球練習場上。

・日正當中・

／一老者在大樹下石椅上午睡；幾聲鳥啾；幾隻流浪狗在樹蔭下玩追逐的遊戲；有風拂動樹梢，陽光慵慵懶懶；連公園牆外賣涼水的小販也在座椅上打盹。

・夕陽西下・

／田徑場上險象環生：在騷動聲中，「鏘！」清脆的一聲，有打者

從投手手中打出一支深遠的安打；守備者急忙後退；球，在跑道上慢跑者身旁掉落；好險！田徑場的另一邊有少男、女各一，談情說愛地打球擊壁，有點心不在焉；單槓下，有年輕人一，展現他如「洛基」般的肌肉；幾個國中小鬼頭騎著機車呼嘯而過；三、二個老者在涼亭內泡著與世無爭，帝力與我何有哉的老人茶；一個母親帶著小女兒在乾涸的水池邊盪秋千，一個爸爸跟他的小兒子放風箏，而蔣介石銅像落寞的右手正指向逐漸昏暗的天空中；好似是他在放風箏啊！

・夜正深沉・

／有二、三對情侶走過步道，或隱身入樹後；聽說有無聊的偷窺者正拿著夜光鏡逐一逡巡！

——「原載『笨港溪』雜誌」

走出去就是勝利

我，原本就不屬於政治；政治當然也就不屬於我！

十年來，我從一個文化寫作者變成一個文化工作者，一月底，我從一個文化工作者毅然投入詭譎多變的北港鎮長選舉，這其中的轉變，不僅令許多關心我的友人聞之色變，連我自己也都覺得不可思議！

為什麼一個文人，在文化工作寫作之外，匆促中決定投入這場明知不可為而為的選戰？為什麼我要放棄多年來堅持「只抬轎，不坐轎」的原則？為什麼我要在不甚寬裕的家庭經濟中挪出一筆錢做唐吉訶德式的搏鬥？因為我從未把這場選舉當成選舉；我們認為這是一場「社會運動」！

解嚴十年了，但環視雲林的政治運作與政治生態似乎仍然停留在戒嚴專制時期；尤其鄉鎮及其郊區村里，可以說更是處於政治的蠻荒地帶。地方派系、盤根錯節、山頭林立，少數人寡頭壟斷的政治生態以及「選舉無師傅，用錢買得有」的選舉劣質文化，操控了雲林人不可知的命運，從本屆縣長的選舉即可看出端倪；北港鎮長選舉亦復如此！

二十四天的鎮長選舉期間，除了四場大型演講、三十幾面文宣揭發鎮政三大弊端之外，不可免俗的，我跑遍了北港鎮二十八里沿戶拜票。二十四日投票結果揭曉，得票數二、八六二票，理所當然地落選了！對這樣的選票結果，我仍然和參選期間所抱持的快樂的心情一樣，絲毫沒有沮喪。因為在這麼短短不到一個月的時間內，我們的主張，我們所認為正確的民主政治方式，還有近三千人認同我們、支持我們！在政治黑暗的空窗期間，仍然有近三千人和我們站在一起；這些人，必定是黎明前一盞最明亮的、希望的燈火！

選舉過了，您是否跟我們一樣還是關心北港、疼惜鄉土？楊子澗勇敢的走出去了；下一個勇敢的人是誰？懇請這二、八六二位北港鄉親勇敢站出來和我們逗陣行，直到充滿璀璨陽光的黎明來臨！

至於參選，我瀟灑來去，下不為例！

——「原載『笨港溪雜誌』」

〈附錄一〉

花雖美，無根隨謝
──「從鄉鎮文教基金會談文化重建」

1 文化的涵義與當前文化的頹弊

廣義的文化略近於「文明」，它是一個族羣或社會在一個延續時空中所集體表現、創造出來的思想、活動等成果，包括了民情風俗、宗教、語言、法律、藝文、科學、經濟及至政治……等層面；狹義的文化觀似乎界定於文學、藝術、宗教、風土民情……等領域。然就其基本面而言，狹義的文化正是廣義文化的根本；一個社會族羣的文學、藝術、宗教、民風習俗等思想行動，能依循自然自由的原則，秉持自尊自發的精神以及根據合理正義的道路去發展，如此這個族羣所呈顯出來的文化素質自然捨棄仇恨、偽詐與鬥爭；這個社會也自然生機蓬勃、安詳和樂。

台灣之被美國時代週刊譏諷為「貪婪之島」，正顯示了台灣文化崩頹的現象。今日台灣文化之惡質化，固然受制於因島嶼生態環境而產生狹隘、淺薄的民族；而四十年來因政治分裂、經濟快速發展，卻忽略人文、生活涵養的教育與文化政策，更加速了台灣當前文化的腐敗。因此，粗糙的聲色表象，取代了原本安和自然的本質；投機急功的行為取代了原本勤儉樸實的精神；人們忙遑奔走、競相追逐名利而不自知；縱情聲色、猥瑣鄙陋而不自覺，整個族羣千瘡百孔，整個社會沒有了明天！

2 當前縣市鄉鎮文化建設概述

雲林縣當前的文化活動現況，與全省其他縣市大致相似。在縣治所在地——斗六市，縣政府每年編列二千二百多萬的預算專供縣立文化中心籌辦各項活動，其中半數為人事行政費用，半數中之半數則用於硬體建設之管理、雜支，真正使用於文化活動上的經費僅剩三百八十五萬元（雲林縣立文化中心八十年度預算），而縣立文化中心所舉辦的各項活動中，絕大多數都在文化中心演出，文化下鄉（鎮）的次數極少，再加上鄉鎮地方政府又沒有編列文化建設預算經費的「習慣」（雖然民間各社團偶有區域性、特定性的演出活動，但既無組織又缺少整體的規劃，效果自然不彰，如此活動也就杯水車薪，無濟於事了！）在這整個情況下，文化建設極度不均衡；因而鄉鎮文化建設之日益「沙漠化」也就「理所當然」了！

筆者於去年十二月初，曾應台南市立文化中心之邀，代表笨港媽祖文教基金會參加「全國文教基金會座談會」，由該會所發佈參與單位之活動簡介中不難發現，各縣市文化中心之設立，並不能充分發揮紮根的任務，其中，甚至尚有不少縣市立文化中心空有亮麗雄偉的硬體設備，動輒數千萬的縣立文化基金會的孳息和縣市政府數千萬的預算經費，而其活動成果，竟然比不上一些地方性的文教團體！如此文化建設，全集中於縣治所在地，甚至不能發揮其活動能力，「文化立縣」之被譏為「櫥窗」、「樣版」也就不是沒有原因的了！決策當局（文建會）當思改弦易轍，將文化建設落實紮根於鄉鎮之上；而縣市政府更應勇於突破窠臼，在增加編列文化建設預算（或目前有限的經費中），加強與鄉鎮地方政府的密切配合，如何均衡發展縣內各鄉鎮的文化建設，落實文化紮根，恐是縣政當局、主管單位所宜深思了！

3 鄉土文化意識的覺醒帶來了契機

六〇年代中期的「鄉土論戰」，為台灣文化的本土化種下了意識覺醒的種子；而七〇年代的政治改革浪潮與開放政策，直接促使「鄉土文化意識」的覺醒。鄉土文化意識並非是狹隘的、地域性的、排他性的意識型態；而是透過反觀、省思，去瞭解鄉土文化本質中的優劣所在，進而建立對鄉土文化的自信與自尊；基於自信和自尊，我們才能透過理性、自覺，去篩選、接受外來移植的文化，如此，才能兼融本土、外來文化的優點，為文化命脈的延續注入一股生生不息的「台灣生命力」！因此，一個健康的鄉土文化觀，絕非是狹隘、地域山頭主義的復辟；也非只是邊陲文化、次文化的自憐與自傷；而是涵育整個族羣、社會、國家甚至與世界共通時空的寬容性的文化意識！以如此觀點來正視「鄉土文化意識」，推展

「文化紮根於鄉土」的運動，他、我之間，即可摒除不必要的疑慮和猜忌；進一步能形成「生命共同體」同舟共濟的意識，群策群力，為文化的明天而努力！

而當前「鄉土文化」的重建工程，在中央、省、縣各級政府均未能充分重視之前，生於斯、長於斯的地方熱心人士、文化工作者，則當高舉此一大纛，釐清文化的陰霾，勇往踏出第一步；因此，地方性之文教基金會或團體也就因應而產生了！當前地方性文教組織所要負起的責任，不僅在籌辦、執行各類不同型態的文化活動來豐富鄉親的精神生活，從各類活動中去了解自身鄉土文化的特質，建立鄉土文化的自信與自尊；也要接納不同表現方法，甚至意識型態迥異的文化活動，藉以拓展鄉親寬容的世界觀，進而互諒、互信與互相欣賞！更重要的，地方文教基金會團體在籌辦活動的過程中，不但希望參與者能自奉獻中獲得喜悅；更希望透過執行過程的自我成訓練，重新熟稔民主理念、制度之實踐，凝聚地方菁英，以期在十年、二十年後創造文化風潮，領導文化潮流，藉以打破地方數十年來盤根錯節、利益勾結之山頭主義，真正為鄉土建設而共同努力；也就是說，地方性文化活動的推展只是一個近程的目標、手段和方法，其最終目的在廓清鄉土逐漸物化的盲點，重新建立一套人與人、人與大自然和諧共存，族羣與族羣、物質與精神能並重不悖的生存空間！

4 笨港媽祖文教基金會的特色與危機

笨港媽祖文教基金會正式成立於七十八年十二月，董事長是地方長老、人格者陳家湖先生。基金會成立伊始，董事會中除地方五大古蹟廟宇之主事者外，並邀請年輕的專家學者參與董事會。如：師大音樂系所陳茂萱所長、史學博士蔡相煇教授、台大植研所碩士、東海生研所博士班，也是森林環保健將的陳玉峯先生、台大農工研究所碩士黃慶祥先生、馳名國際水彩畫家陳陽春先生、法學士陳信村律師、勞工學士蔡維晶先生及建築科系畢業之李勇君先生（以上皆為北港子弟），濟濟人才，為基金會打下宏闊紮實的基礎；加上百餘位來自社會各階層的菁英義工，全力投入，因此，自七十八年九月二十一日胡茵夢小姐「新人類」第一場演講活動以來，共舉辦了近五十種八十餘場各類大小型活動，吸引了二萬三千人次以上的鄉親來參加（兩次元宵花燈文物展來自全省參觀人數各數十萬人無法估計，故不計於內），足見本會活動內容之豐盛與義工動員能力之強大，茲將笨港媽祖文教基金會之特色簡報於下：

一、發行「笨港雜誌」：「笨港雜誌」為本會直屬董事會之機關報，具有社區報的內容與雜誌的多樣化。對地方沿革、鄉土風采、地方政事之鍼砭、重建鄉土文化之自覺自信自尊，均能以客觀、充實的角度做輿論的先趨。目前已發行十八期，深獲文化界人士及鄉親之讚許。每月出版一次，發行量約二—七千份，現任總編輯為蔡哲仁老師。

二、義工組織之前瞻性：本會義工組織打破一般社團「義工，只是請他們來『義務做工』」的觀念；而是本於凝聚地方菁英，培養地方未來建設核心的理念，以期做為日後導引鄉土文化潮流、落實地方建設為目標。因此：

(一)舉辦義工自我成長訓練：本會每半年活動計劃中，均編列義工自我成長訓練之經費，聘請專家學者做計劃性培訓，自人際關係至企業管理，自美容講座至統御領導訓練，藉以充實義工能力，儲備地方建設人才。

(二)義工組織含括廣泛：本會義工組織，共分笨港史學文物、圖書資訊、公關、藝文文宣、生活品質及工程公務六大委員會，建制儘量含括日後地方建設大項，設主任委員一名、副主任委員二名，由各委員會義工自行相互選出；每半年並提報該委員會常設性工作計劃予董事會，審核後預撥經費、充分授權，由該委員會按計劃執行。

（三）積極培養義工策劃、執行活動之能力：義工可自行策劃活動節目，交由所屬委員會轉秘書處呈董事會裁決；董事會召開期間，各委員主任得列席報告該節目企劃案；通過後亦依決算經費撥付該委員會全權執行辦理。因此，本會所辦之各項活動，每次均由不同的委員會或義工策劃執行；目前本會同仁中已具備獨立作業能力者當在三十人以上；我們希望在十年內培養如此人才三百人以上。

（四）提倡民主制度凝聚地方人士菁英：為凝聚地方人才、結合地方菁英，因此本會秘書處定位屬行政連繫單位，執行秘書與助理秘書為支薪專職人員，另由義工大會選出義工擔任不支薪秘書長與秘書，獲董事會認可後主掌秘書處，負起對外行政與義工委員會和董事會之間之連繫工作，任期一年；而重大議案、計劃及決策，則由秘書長召開副主委以上幹部會議，共同研商，討論表決後呈報董事會核定實行，日後我們計劃推派董事總額五分之一或四分之一的義工幹部進入董事會，加強董事會與義工委員會之密切配合。董事會與義工委員會具有立法院與行政院之雛型。

三、文化活動的紮根與延伸：本會活動內容之設計取向，除設定本土化基礎（如笨港歷史、宗教文化的探討與編修，笨港地區各傳統民俗技藝之保存與倡導）之外，亦著眼於整個文化視野、地球村觀念之延伸；因此，凡裨益人生的講座、醫藥健康常識、倡導環保理念的戲曲表演，以至於充裕鄉親精神生活的傳統、西洋音樂節目均含括其中。文化活動的多樣化，不但可以紮實愛鄉愛土的情懷，亦可培養世界觀的文化胸襟！日前本會亦開辦了各項藝文班級及即將設立的視廳室、圖書室，更可藉由這些常設性活動走入鄉親的生活領域之中。

笨港媽祖文教基金會過去一年多來，在董事會的領導、義工同仁的全力打拼下，雖然憑強大的活動力，已建立初期厚實的根柢；然而亦不能避免若干重大的危機。其一是經費之短絀，由於文化活動純屬消費性的支出，「巧婦難為無米之炊」，經費之不足，不但影響義工伙伴的士氣，甚至危及基金會的存亡。各級政府若真有心從事文化建設，對鄉鎮自發性之文化團體，應有責任提出一套經費支援的辦法，藉以鼓勵地方菁英投入文化建設。其二是地方人才與民主理念不足，由於文教活動需要大量人力投入否則不為功，而社會價值觀之驟變，「個人自掃門前雪，莫管他人瓦上霜。」觀念之作崇，在人才凝聚上稍有力未逮焉之感；而義工組織中民主方式之實行，又因民主理念之不足，未能通暢制度，也形成若干不便。還好，投入文化建設之義工伙伴，皆能秉持服務公眾之熱心，我們在錯誤中修訂方式，在學習中確立制度，雖然艱困，但已逐漸形成共識與制度，其實總歸而言，各級政府一再以「經費不足」做為搪塞的理由，才是文化不能落實，鄉鎮文教團體不能生存的主因！

5 文化重建落實鄉鎮之芻議

在當前「文化立縣」致使文化建設流於櫥窗樣版而不知紮根鄉土的情形下，要文化建設落地生根、開花結果無異是緣木求魚；再加上中央、省縣至鄉鎮各級政府對文化建設預算之編列不足，甚至有意忽略文化建設經費編列之觀念下，「文化復興」更是遙不可及！因此，行政院、文建會（文化部）實有必要調整對文化建設的政策；省縣政府也應認真思考一個能真正推動、落實文化建設的方針；尤其是鄉鎮政府更應摒除「沒有錢」的藉口，積極尋求地方文化工作者及社會菁英，相互配合全力來推動文化鄉土紮根的工作。

茲將文化建設如何落實地方之芻議，概述如下：

一、行政院於未來「六年國建計劃」中，應體認文化建設為一切建設之本的重要性，提高經費預算。吾人以為，一兆二千億的國建經費中，至少應編列2至3％作為文化建設之預算。

二、文建會（文化部）應秉持自發原則，均衡鄉鎮的理念，不過份作政治性之規劃，於各項文化活動之設計開發，應有自鄉土出發、懷抱台灣、放眼世界文化的眼光；並著手規劃六年內陸續成立一鄉鎮一文教基金會、一鄉鎮一多用途文化表演館的方案。以一鄉鎮每年約二百萬的活動經費，全省三百餘鄉鎮年需約六億餘元；每鄉鎮由地方政府自行提供土地，建設中型多用途文化表演館，每座以五千萬元概算，全省共約一五〇——一六〇億，每年約二十五億元。六年總計經費共需一八六至二〇〇億，於六年國建計劃中，比例可算相當低微（約佔千分之二·三——二·五％）。日後鄉鎮地方政府能自行提供土地開發該地文化園區者，文建會亦應予以輔導，規劃並提供全額經費。

三、省府方面已有意著手編修有關台灣省志的計劃，我們以為當局亦應計劃著手整理地方戲曲、民俗技藝團體之資料，並成立延續、推廣、改創等相關的教育機構，藉以延續台灣本土傳統文化、重建本土文化的自尊與自信，擴展台灣新文化的視界與潮流。

四、每人每年二〇元文化建設經費預算：縣政府在新一年度預算編列之前，除原文化中心之行政、管理等必要支出外，依鄉鎮人口數，每人每年二十元之文化活動經費，增納原有預算之中

（鄉鎮公所亦提撥編列相對數額之預算）；縣鄉鎮級民意代表亦應全力支持，切莫任意刪減。以雲林縣為例，一般中小型鄉鎮約三萬餘人，每年可增加六—七十萬元（合計一百二十—三十萬）、大型鎮市每年可獲一百至一百六十萬（合計二百至三百二十萬）文化活動經費（此經費在鄉鎮地方政府預算比例較輕），縣府全年大約只需增列一千餘萬元預算，於雲林縣政府全年壹百餘億之預算中可算微不足道。

五、現有縣立中心行政人員下鄉輔導成立鄉鎮文教團體，配合鄉鎮圖書館原有工作人員成立文教基金會籌備秘書處；並著手透過各藝文、社會服務社團（如美術學會、青商會等）及個人著手組織董事會與義工委員會，建立鄉鎮文教基金會之雛型。

六、在鄉鎮文教基金會未正式成立之前，依每人每年合計四十元之文化建設經費，參考地方意見籌辦文化活動，執行活動任務則由鄉鎮人士接辦、文化中心員工輔導。

七、鄉鎮文教基金會成立期間，縣市鄉鎮地方首長及民意代表應運用政治影響力、匯集社會資源使之儘快成立；鄉鎮文教基金會成立後，除接辦縣府輔導之文化活動外，並馬上進行義工訓練，期以最短時間內納入運作正軌。爾後，縣、市鄉鎮政府單位可依自發原則，讓鄉鎮文教基金會能自行依循地方需要開發、籌劃、執行各種文化活動，並隨時適時予以行政上之支援、配合！

6 文化重建是台灣明天唯一的希望

古語說：「衣食足然後知榮辱」；反觀現在台灣之種種怪現象，我們不禁懷疑：何以台灣有經濟奇蹟，卻加速人的惡質化與畸形？難道是台灣住民遺傳自海盜莠民的不良因子？不可諱言的，經濟的快速成長造成了社會價值觀和社會正義公德的淪亡；而四十年來文化、教育政策的偏頗才是其主要的原因！台灣先民源自中原大陸，在蠻荒野僻的島上篳路藍縷、開疆拓土；然而同源的台灣文化卻有意、無意地被邊陲化、矮化、次化，因此台灣歷史被湮沒、傳統文化被忽略；最後導致台灣住民文化的地位與自尊全面崩潰！尤其是西方物質文化的快速撞擊，缺少文化自主自尊的島民，要他們如何去選擇？「物化」的意識自然取代了中華民族傳統的倫理精神；島民貪婪的賭性、投機心理造成住民不再勤儉樸實；而政治意識更因缺少文化涵養而日益仇視、對立！七年之病需三年之艾，文化重建雖然藥效緩慢，卻是一帖治本的良方；我們要根治台灣目前的種種病症，「文化重建」似乎成為明天唯一的希望了！

—「原載一九九一年五月文訊雜誌」

〈附錄二〉

沒有文化的泥土，那有文學的花樹？
——雲林區域文學的過去、現在與未來

一、前言

民國七十七年夏天，在我完成六千字的散文（等待黎明）和二百餘行的長詩（最後的夢土）之後，對「文學創作」而言，可說已完全停筆了。面對如此紛擾的社會和目睹如此敗壞的家園——北港，寫對我已不再是「經國之大業，不朽之盛事」；而是「雕蟲小技，丈夫不為也」的慨歎了！七八年初秋，我投入「文化改造工程」的行列，糾合故鄉中的青年志士創立了「笨港媽祖文教基金

會」，試圖自文化的重建中，去喚醒沉睡已久的人心；透過文化活動的手段和民主的組織方式去達成理想；尤其是「社區報」——《笨港雜誌》的發行，更是寄以厚望！八〇年初夏，文訊雜誌社舉辦「各縣市藝文環境調查」座談會，本人亦忝末座，發表〈花雖美，無根隨謝——從鄉鎮文教基金會談文化重建〉論文乙篇，並聯合縣內作家羊牧、李亞南及政大中文系畢業的縣議員王麗萍議員等人，欲乘時成立縣內五大鄉鎮文教基金會，藉此一舉改觀雲林縣境之文化生態。……前途似乎一片光明！

八〇年初秋，成立雲林縣五大鄉鎮文教基金會的構想在有關單位操控下全盤崩解；八一年初夏，笨港媽祖文教基金會亦在外力介入中，原前董事長陳家湖先生離職，我在盡力之後，不願眼見當初寄以厚望之基金會被接管，亦堅拒董事長職位並提前宣佈退出一手創立之團體！經此重挫，「文學實用論」於我心中已幾近是槁木死灰；「文化重建」更趨冰消瓦解了！一年多來，我仍然不斷在思考，反省……。

今年三月中旬，文訊雜誌副總編輯封德屏小姐來電，囑咐我撰寫論文乙篇，以便在「雲嘉南區城文學會議」中發表。對於雲林文學生態並不十分熟悉、加上不再從事文學創作已五、六年的我，先是一陣驚愕，繼之以惶恐；最後我允應了這件工作。因為，寫作畢竟是我的最愛；文化工作曾是對自我的承諾！

二、雲林作家知多少？

雲林（尤以今北港鎮溪南北兩岸，古稱笨港）是先人拓台最早的根據地，因之，文風亦頗為昌盛。根據清光緒二十年倪贊元所撰之《雲林采訪冊》記載，境內計有：斗六堡之「龍門書院」，並有張覲光為光緒庚辰科進士、許國材舉人，拔貢、歲貢多人；大槺榔東堡北港街（今北港）之「聚奎社」，並有黃登瀛榮登光緒丁丑科進士及恩貢、拔貢、歲貢等多人；他里霧堡（今斗南）之「奎文書院」，並有光緒丙戌科進士徐德欽；西螺堡之「振文書院」、「脩文社」；沙連堡林埔（今屬南投縣竹山鎮）之郁郁社；謙謙社等六大社學，並有林鳳池舉人及恩貢、歲貢生多人；布嶼西堡褒忠街（今褒忠）「萃英祠」，並有張植發、張植華、蔡廷懋、蔡廷尚榮登乾隆舉人，蔡廷槐嘉慶舉人及恩貢、歲頁等近十人。延至日據、雖在異族統治之下，文學命脈並未隨之中斷，各地均有漢塾、詩社藉以延續民族文化。僅北港一地，漢文詩社最多時計有汾津、笨港等六大詩社，其中老詩人洪大川先生尤為日據末漢詩之翹楚！而北港名醫林麗明先生因參加林獻堂先生創辦之「台灣文化協會」曾遭日警拘捕，更是雲林文人風骨的最佳見證！

三十八年國民政府遷台以來，雲林縣籍之作家人數，在全台各縣市中，雖不能謂之獨佔鰲頭，亦可謂人材輩出。茲以「行政院文化建設委員會」於七十三年六月出版之《中華民國作家作品目錄》登錄作家為例、統計分析列表如左：

登錄總人數：五百七十七人（不含已去世者四十六人）

未填省籍：五人

其他省籍：三九四人

台灣省籍：一百七十八人

台北市籍：十五人

台北縣籍：十一人（含基隆市籍四人）

桃園縣市籍：八人

新竹縣市籍：七人

苗栗縣市籍：十人

台中縣市籍：十一人

彰化縣市籍：二十二人
南投縣籍：七人
雲林縣籍：十二人
嘉義縣市籍：十三人
台南縣市籍：二十人
高雄縣籍：五人
高雄市籍：八人
宜蘭縣籍：六人
台東縣籍：二人
花蓮縣籍：四人
屏東縣籍：五人
台灣省未填縣市籍：八人
高雄人未填縣市籍：三人

台北人未填縣市籍：一人

在台籍「土產」作家中，雲林縣籍共十二人，排名在彰化縣市（二十二人）、台南縣市（二十人）、台北市籍（十五人）、嘉義縣市籍（十三人）之後位居第五；若合計雲、嘉、南三縣市則高達四十五人，佔台籍作家全數之四分之一強，足見雲嘉南一帶確是人文薈萃之地。

若純以雲林一地為例，根據七十三年出版之《青溪雲林文萃》第一期彭徐先生之後記中記載，本縣中屬「文學」之會員計有二十八位；八十年六月由雲林縣立文化中心出版之《雲林作家采風錄》則收錄了四十位縣內作家的資料（以上兩書不分省籍），依此而言，雲林一地文風之盛，不但有其歷史淵源；也足見在物質貧瘠、經濟匱乏的雲林縣，文學的花樹依然曾經盛開在這片土地上！

三、由「官方出版作品」看「雲林區域文學」的風貌

雲林縣籍的作家，至今及活躍於文壇並為大家所熟知的如：王邦雄、李弦（李豐楙）、林雙不（黃燕德）、宋澤萊（廖偉竣）、季季（李瑞月）、鄭寶娟、古蒙仁（林日揚）、履彊（蘇進強）、鐘麗慧、沈花末、羊牧（廖枝春）……等人，或從事學術理論、或詩歌小說散文，或報導戲劇等等，不一而足，可謂百家爭鳴，各揮其采！然由於個人工作因素，或客居他鄉、或落籍異地；因此，雲林籍作家百分之八、九十之為「楚材晉用」、「人材外流」也就不足為奇了！

餘留縣內之縣籍作家，雖有「台灣省文藝作家協會雲林分會」、「中國青年寫作協會雲林分會」及「中華民國青溪新文藝學會雲林分會」等相關寫作之文學性團體；然因這些團體大多「名存

實亡」或充滿戎嚴時期之制式思想，極少能合縱連橫縣內之作家、相互激盪裨益創作；而滯留他鄉之縣籍作家，也因時空間隔或其他因素，不能或不願與縣內文學團體聯絡，因而「雲林區域文學」依「官方」出版書籍所呈現出來的精神與風貌也就模糊不清了！

以民國七十三年五月二十日「中華民國青溪新文藝學會雲林縣分會」編印之《青溪雲林文學》為例，開宗明義第一篇即是〈恭賀　蔣總統經國先生連任中華民國第七任大總統就職致敬電文〉，續接〈以實際行動慶祝總統副總統就職〉、〈青溪以行動作獻禮〉等八股文；接著又是縣長、縣黨部主委、團管區司令、縣議會議長及團委會主委等人之「墨寶」；尤其〈朝陽的禮讚〉這一首「朗誦詩」更點出了本書的「主旨」！試看其中一段句子：

第一個朝陽，開創了中華民國！
第二個朝陽，打敗了日本強梁！

如今啊！第三個朝陽，
一定！
一定！
一定！
光復大陸，
消滅匪黨。
我們跟您走，
我們學您樣。

在如此抹煞文學獨立思考、抹煞文學寫作技巧的制式思惟和歌功頌德方式下，難怪全書中充斥了類似以下的「散文」：

「陽光，一如三民主義的光輝，普照整個大地，整個世界。」——〈陽光下〉

「嘔我心血，塗我肝腦，盼能做好『自強年』結結實實的紮根之作。讓五七五個活潑快樂的好兒童，長成五七五個三民主義的青

年軍！」——〈五七五面亮麗的標幟〉

或像〈懸在罪惡上的腳〉、〈藍藍〉、〈心旅〉一類自酖於幻想式愛情、平鋪直　說故事式的「小說」，實是令人不忍卒讀！所幸書中尚存部份李亞南的清新小品，落蒂精煉的方塊雜文和意境深遠的詩以及戴宗良凝鍊而寓意人生哲理的詩；否則這本「文萃」真可丟進垃圾筒了！

為「奉行政院文化建設委員會指示，展開縣籍作家作品選集及專集的出版之作。」（見該書雲林縣長序）雲林縣文化中心於八一年六月出版了一套包括散文集《春雨》、小說集《黑馬》及羊牧的評論《不再寂寞》、張清海的散文集《春風桃李》，如萍的散文集《這一家》等共五冊本縣籍作家作品，一舉涵括了散文、小說、評論之個人或選集等各大文學版圖，粗看之下真是花團錦簇，一片璀璨奪目！

然而細續之後，羊牧的「不再寂寞」「評論」集，由附錄〈談

『和中學生談書』〉一文中可見，本書源自於中央日報「中學生」專刊中「和中學生談書」的專欄（由於書中文末只附發表園地未書寫作日期，故純屬筆者臆測。）立意本佳；然囿於「專欄」的二千字限制之下（書中不乏千字左右之介紹文章）。自然無法深入所評介之書、文；就如該書〈關心——讀莊金國的『石頭記』〉文末羊牧自書：「零零碎碎寫出這些『讀後感』不免蔽於私見，希望不要太離譜才好。」本書若冠以嚴謹的「評論」之名，未免有傷羊牧先生文名。如萍女士的散文集《這一家》，初見該書江音代序文，不免令人大大吃了一驚：

「『得獎專家校長』，這個綽號，是圈內朋友們閒聊時創造出來的。」

「——自民國六十八年獲得孔孟學會論文特獎以後，她才開始調適文藝徵文應徵路線，曾榮獲六十九年全國『青年自強愛國心聲』散文第一名，十五屆中國語文獎章，洪建全兒童文學第八屆、第九屆、第十屆創作獎並連續四年得到教育部頒贈的各年度各項文藝創作獎，七十二年中國視聽教育學會也致贈製作紅帶獎的最高榮譽。」

「……曾兼任台灣省婦女寫作協會理事、雲林青年寫作協會理事、青溪文藝學會分會監事、雲林書法學會監事、黨團（筆者按：國民黨）文宣委員、訓練委員、又是童子軍服務員……如《雲林國教》及《雲林綠芽》期刊編輯、《雲林鄉土教材》編輯、『窗外有藍天——法律劇場』廣播劇寫作……」

筆者之所以不厭其煩引述江音先生代序文中所記作者之得獎事蹟及各項頭銜，正欲指證出「區域性小鄉土文學」已為僵化思想及官僚體系所制控。《這一家》除前半部〈親情組曲〉回憶童年文字稍堪可讀之外，下半部〈媽媽的話〉和〈點亮春天〉彷彿是「反共、愛國、團結、自強」（見該書《豈能迷糊》頁九七）官方發言人的口胳。

《雲林作家小說集——黑馬》果真是一匹「黑馬」——「黑暗中奔馳而過的黑色的馬」，是如此此突兀、如此令人不知身處何地！十六篇「小說」（其實大多滯留在「說故事」的階段和散文化的「小說」技法）除廖光賢〈黑馬〉〈名師〉寫出「升學主義」掛帥下被扭曲的教育制度、廖素芳〈髮結〉點出現代相夫教子「煮婦」傍徨的心態和陳嘉欣〈招夫〉寫出小鎮早期鄉土人物故事外，餘文中「時空」彷彿都遐開了這塊土地，不是殺鬼子的戰役，就是「被解放」後「杏花村的冤魂」，令人錯愕於時空之交疊錯亂！

《雲林作家散文集——春雨》編得更是令人莞爾！這本「散文選集」，其實是本雜文選，書中有評論、有論說、有報導文學，有「小說式的散文」；記　居多，抒情者少，加上〈我們只有一面旗〉〈懸國旗、唱國歌、愛國花〉、〈春雨，在金門〉此類「主題正確」的政令宣導式文章，編者強名之曰「散文選集」，是編委諸公人在屋簷下不得不低頭抑或巧婦難為無米之炊只好濫竽充數？

張清海先的散文集《春風桃李》是五本書中較具有「區域性小鄉土文學」特質的一本。在這本集子裡，我們可以看到歷經日據末、光復初期殘破貧窮年代的人、事、物，一草、一花、一木等鄉土的擁抱；也看到了在以往困乏的物質生活或現今困乏的精神生活中，人性光輝的一面和對社會的關懷；可惜的是這本散文選集血統並不十分純正，書中夾雜了類似〈穿衣與買衣〉、〈吃的藝術〉、〈穿的藝術〉等論說文和〈力爭上游我雲林〉等「比賽型歌德式」報導文字，令人不禁扼腕！

四、沒有文化的泥土，那有文學的花樹？

文學的可貴與價值，在於透過駕馭文字的技巧，忠實地描述了某一特定時空中所發生的某一些人、事、物；因之，偉大的文學作品，莫不以該特定時空為經緯，深入直指人心的內裡。台灣是個島嶼，自有其文化歷史的淵源；也因台灣歷經了不同政權的統治，不同文化的衝擊，因此，台灣文化的風貌也呈現多樣的變化。六〇年代中期的「鄉土文學」論戰，即是大中國與台灣、自慰式懷鄉文學與斯土斯民活生生文學的論戰，經此一段，以台灣為大鄉土的本土文化，躍昇為文學的主流。

如果說以現今台灣文化為主幹的文學是「大鄉土文學」；那麼，以某一區域為特定的作品即是「小鄉土」文學；換言之，大鄉土是由諸多區域小鄉土組合而成，小鄉土之間必然有其共通性與差異性，相互交疊，相互融合。試以台北市都會文明為描繪主軸的作品，自然會跟台東、花蓮縣較多先住民區域的作品有所差異；也跟雲、嘉一帶以農業為主的區域文學有所不同。因此，區域文學的特質，在於能描述該區域小鄉土人物的風貌，呈現該區域小鄉土人文的精神。

雲林在台灣開拓史上自有其值得驕傲的一面；光復四十年來，經濟上雖已逐漸脫離了那個貧困艱苦的日子，廣大的土地上仍保留著農民原有的純樸與無知；而都市化的鄉鎮卻也充滿了市儈商賈的狡詐與慧黠；加上一般思想保守，仍存戒嚴時期心態的知識份子；因此，雲林縣民中有敢衝敢殺的街頭運動份子；有畏首畏尾、文化陽痿的讀冊人；有興好燈紅酒綠的市民、也有在路邊設攤討生活的小鎮民。諷刺的是：雲林曾是政治上反對運動的先驅；但鄉鎮縣的民意代表和公職人員如今卻是「大哥」當道！雲林的鄉村與都會風貌也截然不同，有一望無垠的平疇綠野、紅磚黑瓦的古舊房舍；也有霓虹招展、五光十彩的大廈；當然，更有不時排放黑煙和廢水的工廠與沿海不斷遭受陸沉之害的莊落。「這是個墮落的年代；卻也是個最有希望的年代！」面對人文蛻變中的雲林、文明糾葛下的小鄉土，其實區域性作家應有更廣闊的體裁、更豐富的內容去呈現這個墮落卻最有希望年代的種種風貌與精神！

可惜雲林本土區域性的作家錯失了這個機會！

從本文第三節「由『官方出版作品』看『雲林區域文學』的風貌中」我們得知，雲林區域性小鄉土文學至今乃充斥著大中國自慰式懷鄉的特質與制式思惟下的八股作品，不但混淆了雲林斯土的風貌、也模糊了雲林斯民的精神。文學創作貴在思想的自由與獨立；何以現今雲林區域性文學淪於如此八股、僵化和官僚體系下的制式思惟？深究其原因，我們不難發現：四十年來教育一元化政策和升學主義掛帥制度已大大戕害了文學創作獨立思考的心靈；其次，七十年代之前，台灣文化被視為大中國文化圈外之邊陲文化，使得鄉民間不自覺地被矮化、醜化，因而喪失了鄉土文化的自尊與自信；其三，數十年來經濟的發展並未提昇文化的品質；反使人心不斷物化，人們流於逐利、貪於安逸。其四、各文學團體幾乎為官僚或某些特定人士所操控，在一元化的思想體制下，當然不為縣內具有文學獨立、思想自由的作家所認同，甚至為寓居他鄉的本縣籍作家所排斥；而這些文學團體在長期操控下也大多「名存實亡」了！更重要的是，四十年來台灣一直著重於經濟的發展而忽略了文化的建設，一般民眾除了追求物質生活外，幾乎已毫無文化生活可言。近十年來，執政當局雖已開始重視文化建設，各縣市也都成立了文化中心和縣市文化基金會；但是文化中心和文化基金會都在官僚體制之內和縣政府所在地運作，缺少民間文化和活水源頭；尤其縣內各鄉鎮，四十年來幾乎可說從未編列「文化建設」的經費，多數鄉鎮民除了智商永遠低於十三歲的電視，極盡聲犬馬的ＫＴＶ、粗鄙不堪的電子琴花車之外，恐怕再也沒有其他的文化活動了！因此，縣內文學創作者後繼無人，已然產生嚴重的斷層現象了！試問：沒有文化的泥土，那有文學的花樹？

伍、發展「區域性文學」的芻議

文學之價值繫於創作者心靈，思想的自主與獨立；「鄉土文學」的根本在於創作者本土意識的覺醒；而「區域性小鄉土文學」則是文學創作的活水源頭，當然更需要區域性文學作家的自覺、自信與自立了！因此，重建區域性小鄉土文學的風貌與精神、拓展區域性小鄉土文學的根柢與視野，吾人不能寄望於官僚體系的施惠，尤應拒於政府政令的強姦與干涉，保存創作者自由、自主的心靈；如此則有賴於本土作家的參與，同時也是旅居他縣文學工作者無可旁貸的責任！對於如何發展區域文學，試以擬出下列幾項方法應對：

一、區域性小鄉土文學工作者聯誼會：由居住縣市內之作家籌組聯誼會；並擴及邀請旅居他縣之本縣籍作家參與加入，定期或不定期聚會，交換寫作心得，建立彼此鄉誼。

二、籌組縣市文化協會：在區域性小鄉土文學工作者聯誼會會務穩定之後，以縣市為單位，籌組「縣市文化協會」；定期對外舉辦各種文化、文學演講座談會，聯合籌資出版刊物，將演講內容記錄刊載其中，並開闢版面容納各類文學作品，藉以相互觀摩、提攜文壇後進；此外，每一年度則可選錄其中若干篇章，交由坊間出版公司出版。

三、成立「台灣文化協會」：俟各縣市文化協會成立達全台半數縣市以上時，正式成立「台灣文化協會」，訂定台灣文化、文學之基本原則與最高目標。各縣市文化協會仍擁有絕對獨立權，依

「台灣文化協會」之原則目標，自由發展各縣市之特殊文化與文學工作。

這是一項由下而上的草根性文化運動，她的出發點源自於該縣市文化、文學工作者良心的覺醒與無我的投入；為了保存文學工作者思想的自由與獨立，因之，我們必需有以下的認知與體悟：

一、經費由會員自行籌措：為維繫民間籌組文化協會的純度，經費方面千萬不可寄望於「有關單位」之補助，會員應有最大的決心，自行籌措資金；如此，方有能力保持協會的獨立與自主性。

二、避免政治勢力的介入與官僚體系的干涉：政治與官僚原本對文化建設可以扮演催生與輔導的角色；但於今天，往往卻是鉗制文學獨立思想自由的兩大黑手，因此，對此一自發性的文化工作，切莫招致政治的介入與官僚的干涉。

如果說教育是百年樹人的工作；那麼，從事文化、文學工作可說是個人終生的志業了！雲林縣籍出身的名作家林雙不先生，以百年樹人的精神、終生志業的態度，不問名利、不求聞達，創立了「台灣教師聯盟」；一年多來在全台展開了二百餘場，吸引了三萬人以上的演講會，奔走忙碌，一如「傳教師」的無私無我；這種精神正是我們從事文學工作者最高的典範，也是雲林籍作家、鄉親的光榮！

六、結論語

「……鄉土文化意識並非是陝隘的、地域性的、排他性的意識型態；而是透過反觀、省思，去瞭解鄉土文化本質中的優劣所在，進而建立對鄉土文化的自信與自尊；基於自信與自尊，我們才能透過理性、自覺，去篩選、接受外來移植的文化；如此，才能兼融本土、外來文化的優點，為文化命脈的延續注入一股生生不息的『台灣生命力』！因此，一個健康的鄉土文化觀，絕非是狹隘、地域山頭主義的復辟；也非只是邊陲文化、次文化的自憐與自傷；而是涵育整個族羣、社會、國家甚至與世界共通時空的寬容性的文化意識！……」這是我在「花雖美，無根隨謝——從鄉鎮文教基金會談文化重建」一文中截錄出來的一段話；也是我對文學創作秉持的理念。文學是文化諸多型態中的一環；沒有文化的未來，哪會有文學的明天呢？而文學可有明天、文學可有未來？就端在於從事文化、文學工作者本身之能否覺醒與實踐了！

《參考書目》

- 《雲林采訪冊》，倪贊元著（清光緒二十年）／台灣文獻叢刊，台灣銀行經濟研究室編印，四十八年四月出版。
- 《青溪雲林文萃》／中華民國青溪新文藝學會雲林分會。七十三年五月二十日初版。

．《中華民國作家作品目錄》／行政院文化建設委員會，七十三年六月初版。

．《不再寂寞》，羊牧著

．《這一家》，如萍著

．《黑馬——雲林作家小說選集》

．《春雨——雲林作家散文選集》

．《春風桃李》，張清海著

以上五書均由雲林縣立文化中心出版，八十一年六月初版。

．文訊雜誌——雲林的藝文環境專題：（沈文台／走過歲月長廊）、（羊牧／不信東風喚不回）、（楊子澗／花雖美，無根隨謝）等文。文訊六十七期八十年五月出版。

講評／古蒙仁

楊子潤先生雖然對台灣文學抱持悲觀態度，但是對未來我們沒有權利放棄希望。我試著從「陽光、空氣、水」三方面來回應「沒有文化的泥土，那有文學的花樹」。即使泥土再貧瘠，有了此三要素，仍然會有希望。

「陽光」是指整個大環境的改變。政治方面已經解嚴、農民運動、國會改選等民主思想已深植民心，人民可出頭天，不同於過去；經濟方面，雲林過去雖落後，但近年有六輕、石化等工業設施，雲林將從農業型態變成工業型態，生計獲得改善，人民有餘力從事藝文活動。教育的普及、社會的多元化，學子更為活潑開放，民智也大開，民眾參與藝文活動的能力因而大增。這是雲林縣的工商政治大環境，與以前截然不同之處。

「空氣」是指藝文環境的改善。各縣市文化中心的成立，可開拓文化資源，顯示政府已更重視文藝活動。民間有各種文教基金會成立，此種民間力量可彌補政府從事文藝活動的不足。另外因政府與民間的倡導，文化氣候已漸形成，縣民也有文化方面的需求，供需二者相互配合。

「水」是指作家動態的成長及鄉土關懷層面。五〇年代出生的作家，現已是社會中堅，文學創作已邁入成熟期，也掌握了社會上相當的資源，可發揮更大的影響力。這些作家不只是創作，也參與社會活動，可對鄉土做出更大貢獻。而他們創作的題材不再侷限鄉土方面，因社會轉型，創作題材更遼闊。另外旅外作家有回饋鄉土的心理，具創作經驗可與縣內作家相互交流，使縣內文風更盛。

另外提出一些待改進之處。文化中心仍屬官僚體系，對藝文活動認識稍嫌不足，且擺脫不了權威時代的意識型態，所以將來規畫活動或出版刊物應聘請專家協助。當然文化中心應積極爭取經費，多舉辦文藝活動，使年輕學子能與知名作家學者多接觸。在民間方面，可鼓勵工商士紳多捐獻，以補政府經費的不足。在與旅外作家方面也可加強連繫，相互交流。

最後再提出幾個問題和楊先生溝通。楊先生以官方立場看文學，但文學實際上是從民間生長起來的，相信民間的作家將來會在文學史上有所表現。旅外作家的定位不應以居住地來定，而應從他的作品內容與背景來定位。以上是我個人的一些觀點。

—「原載一九七四年三月文訊雜誌」

卷一

渴望安於室家而血液中卻又
遺傳著蠢動的因子？

無求齋散稿八帖

．1．

風停雨止了。巷口兩旁的野草似乎在一夜之間都竄升了起來；葉尖上仍然停留著一些水珠，在早陽下閃閃發亮。小麻雀也在簷下飛來飛去，時而交頭接耳時而互梳理他們風雨後的翅膀，吱吱喳喳、笑鬧嬉鬧；彷彿昨夜的大雨，並未在他們的小腦袋瓜上留下任何陰影。小龍跑了過去；他們也沒飛遠

昨夜的雨勢可是滂沱，彷若水壩崩毀、山洪挾帶了風聲雨聲從天上直奔下來。週遭幽闃，沒有左鄰右舍，百公尺外的住家關緊了門窗；連平日聒噪的蛙聲也都突然消聲匿跡了。雨，越來越大，好

像當日圍城時的光景；砲聲隆隆、硝煙四起。只有一燈熒熒；我在案頭沉思百年來的中國近代史。回答我的是更大的風和雨——

庭院裡的池塘漲滿了水，溢出了草地。倒是魚兒們雀躍不已，相互追逐，由這頭游到對岸又由對岸游回這裡。他們總是群體行動，不斷遷移迴游，卻又突不破池岸。叭喇一聲，隊伍中有條錦鯉跳出了水面，跌落在草地上掙扎翻滾；我把他又放了回去。人，何嘗不是跳脫不出生命中那隻無形的手呢？

幸虧風雨總是會停的。小龍的褲管沾滿了泥水，和他哥哥在草叢裡捉捕青色的小蚱蜢；陽光穿透雲層，灑落在他倆的小身子上。在這個新環境，孩子們適應得總比大人快得多了；老家的籬笆花和土樣仔只是偶爾提起。我常冥想，如果有一天我必需離開這片土地而流落在一個完全陌生的異鄉；那，我的鄉愁又將如何呢？孩子們的笑聲算不算是另一個答案？

‧2‧

無求齋獨自佇立在野外，只有巷對面一家幼稚園，三面不是幾已廢耕的蔗園，就是輪種的玉米和雜糧；此外，剩下的全是狂亂桀驁的野草了。他們肆無忌憚地穿過竹籬、攀過圍牆、佔領巷路轉角，一路攻進我的院子裡面來。不斷剷除，又不斷發生；彷彿是一場永無停火的爭戰。

亂草中竟也叢生了各式各樣的野醬果。嫣紅的小番茄，只有姆指大小，一串串躲在凌亂的枝葉裡；還有攀藤矮種的四季果，我們都如此稱呼他；一個個包裹在毛絨絨的花瓣當中，東風一吹，花瓣枯葉，橙紅的小果實在乾褐的綻裂的外衣下就顯露出來了。我喜歡帶著全家人去辨認採食，雖然酸澀，但卻不虞受到農劑的汙染。

風雨過後，低窪的地方和四週蔗田的溝底都積滿了水跡；踩在地上，不免濺得一身亂泥，但卻適宜在此時此地放風箏。東向的中央山脈在閃爍的陽光下漸漸褪去了她朦朧的面紗；只是幾片白雲偶爾留步，又快速離去。風箏在湛藍清爽的天空遨翔低徊；孩子們的笑聲也許是一種鼓勵；我感覺到手上的線繩正被牽引緊繃，迎風的紙鳶急欲掙脫束縛，奔向那飄遙的山脈。

結局是我們很快地收回蠢動的風箏，看它無奈地飄落下來；一條繫縛的繩索還是控制了所有的行動。孩子們小心翼翼地收好，夾在小胳臂下，紅咚咚的小臉蛋還拓下剛才奔跑的汗珠。驚散的野狗又緊跟在我們後頭，好奇的眼光和搖擺的尾巴，似乎是要從我這兒得到某些答案似的。孩子們，我又何嘗懂得些什麼呢？生命的宿命和輪迴——

．3．

巷子只有四米寬，離馬路二十來公尺；由於地處郊區，來往的車輛並不太經過這裡，倒也十分清幽雅靜。巷子底有一道牆，再也沒有其他人家。我把巷路鋪上二米寬的水泥地便利來往，其他的巷路，則開墾成一畦一畦的小園圃，沿著路基種了一排萬壽菊和幾株野生的天竺菊。

短木柱和窄條三合板圍成了園圃的地界；一畦給小龍、一畦給小虎、一畦給美瓊，我轄下領土是兩畦菊圃。小田埂上還種了幾叢九層塔、幾條辣椒幾株蔥、薑、蒜，另外，不知從那兒移居來此的二株桃紅鳳仙花；還有一株哈蜜瓜和沿牆攀附的苦瓜。

小龍撒上小白菜的種籽、小虎愛吃菠菜，美瓊選油菜；而我移植了各種顏色的菊花，黃菊居多。由於巷路原來是砂石填墊的，因此，孩子們就需要跟在我翻過的土後撿拾碎石和雜物，並幫忙把田埂和田溝築了起來。菊移植自老家花盆和大排水溝旁被遺棄的枝枒；它們很快地就適應了這片土地，肥碩健壯；至於蔬菜，不到一個禮拜就已長得青蔥茂盛了！

當然，我們除了灌溉、施肥之外還需隨時除去莠草；個人各自負責自己的領域；菊則要摘去蕊心，只留下壯碩的枝幹。至於沿牆依附的苦瓜，不知何時卻已開花結果了；小姆指長的苦瓜，稚嫩嫩地，在春天裡好像吹氣似的，每天都可以感覺到它的成長。孩子們天天跑去牆下呵護它；瓜十天左右就長得像小手臂粗，飽熟的果粒晶瑩剔透。那天晚上，我們煮了鍋苦瓜排骨湯，外加兩盤早已被菜蟲啃食過的小白菜、菠菜。孩子們說，明早我們走捉些菜蟲兒來玩。

·4·

前院約莫五坪多，左側靠牆崁上大理石當進出的走道，右側剩餘的空地則規劃了一景山水，長十二、三尺，寬八尺許。山形石聽澄清湖畔的老闆說是來自山洪爆發後老濃溪上游河床，並不常見，當然也不便宜。主峰共有五座，中間兩座是削直的峭壁，左稍高右略矮；山腳下另接三座山峰，最左一座形似西湖石、圓頂細腰，峰頂還有水穿的痕洞；中座的山峰由右扭斜而左，水紋的層次分明，最右一座則由左下渾厚傾斜向右而上，嶙峋怪異。上下山峰間留有一道水路，穿過中座頂峰的缺口。山與山間有松四棵，六月雪七、八棵，另觀音竹一叢，隨意自山頂、山壁、山坳間亂生。

池岸由大崗山石砌起的；許藍山撿拾轉送於我。池面約二坪許，沿著山腳一路蜿蜒到平原，北肥南瘦，倒也有三分韻致。池中南北各有山石堆成小島，島基中空、島邊放植了兩盆荷花，以供錦鯉穿游棲息，水瀑共分三路，引水自池中；首路從西湖石峰頂的涵洞游出，潺潺而下；繼而從中央主峰左側分水洩引、二路在中座峰頂碎裂成水花；第三道瀑布則由主峰右側的松樹間飛奔而來，水勢最猛；翻落在水道後兵分兩路，一路從中座山腰迴旋而下；一路從嶙峋怪石上狂奔騰起，復跌落池中。

而後我豢養了一群錦鯉。魚有鐵錦紅、有金黃、有玉白，也有雜色相間。剛來時略嫌羞澀，常常躲在島下或荷葉間；不久之後倒也熟悉得快了，早晚二次餵食，而且定量。只見魚影幢幢，列隊游出，徘徊池底；每每有一隻烈士般的金黃小錦鯉浮上水面，其餘的便一湧而至，相互爭食了！幸好並無殺伐之事發生。食後則宛若一列佈防戰艦，只見那隻半尺長肥碩的紅錦鯉帶領，悠游穿梭在水瀑和石島之間，倒也氣勢磅礴、引人側目。

我喜歡靜靜地看著水面迎風的荷葉一個下午，我也喜歡聽那間或奔騰間或輕湲的水聲一個下午，我更愛看鯉魚猛烈加速側斜身子而後突然扭腰躍出池面的美姿；如此也是一個疏懶散淡的下午。或許那是某種魚類的天性吧！聽說鮭魚成長於海中，溯游溪流數千里回到出生地產卵而後死亡；而鯉魚卻是不斷地跳躍、跳躍，夢想有一天翻飛成龍——直到有一天，我發現了它躺在池畔草地上，僵硬的鱗片間有萬蟻鑽動！

·5·

笨港這個古老的小鎮倒也住著些文學家、藝術家之類的人物；大伙兒寫的不多、畫的也少，因此也都成不了大氣候的。不過，話倒不少、茶也喝得兇；其中教書匠居多，市井小民也有。無求齋是個清談茶酒的龍蛇地，大伙兒也就雜噓吹蓋了。

不管是陰雨怛惻的夜晚或是日麗風和的午後，溫酒一壺，話就此開講了。起先尚能保持古君子的溫文儒雅、風采翩翩；酒一下肚，就不免英姿勃發，議論橫陳了。石頭之道一以貫之，文學電影藝術都可在國畫中的虛實、濃淡、淫渴中打轉游走；廖的題材不出小說戲劇和電影，左一個情節右一對蒙太奇，削瘦的肩胛不住來往聳動，好似沒有上緊的螺絲；落蒂最近得了個什麼「青年」詩人獎，變成大家笑鬧的對象，他只會連說慚愧慚愧，卻是十足鐵公雞架式；璋儒據說又被坑了一集電視劇本，以及台北五更鼓流浪散記，一副文人落魄狀；榮熙談畫，小至花鳥大至潑墨山水無所不包；阿懋屬意碑帖，言談中字字渾厚稜角，也恰如其人。

酒過七巡，繼之以茶；水沸不斷，話也就陸續上場了。環境汙染的公害是我們詈罵的對象，行政單位的缺乏規劃和牛步化讓大家十分不滿；連電子花車女郎的胸脯和大腿也不能免於斯累，齊嘆道德淪喪人心不古。前一陣子核四廠花費天文數字的預算編列以及安全上之令人憂心忡忡，當然是熱門話題；十信案件、年底的公職、民意代表選舉我們各有意見，而且自認擲地有聲可鏤金石。諸如此類等等，不免都是面紅耳赤牢騷一堆。最後大家共同的結論是：天色晚了——

癱瘓在床上了，像極了一只洩了氣的氣球。想想也真是的：明天七點十五還要早自修呢！

·6·

對面幼稚園高挑的後院遮雨棚架下，不知什麼時候遷來了一族燕子。穀雨前後，牠們成群地在巷底和蔗田上空飛行，其間夾雜了幾聲乳燕劃破岑靜而灰藍的天空。他們不像麻雀，不時飛落地上啄食嬉鬧；燕子們只是飛翔飛翔再飛翔，有時鼓動雙翅俯衝而下；有時張開翅膀沿著風向浮游在空中。一直到清明梅雨將下的時候。

突然間我驚訝於僅有而單調的麻雀嘈雜聲。我站立在簷下搜尋牠們的影子；沒有人回答我，天空中不再有牠們熟悉的叫聲。原野十分寂寞、天色卻更灰暗更蒼茫。春寒確是料峭；微雨時節，我披著單衣凝注朔風野大的北方。

聽說牠們來自寒冷的北方。秋冬之際，舉族在霜雪中遷徙來此，產卵、孵化並教導訓練新燕飛行；梅雨來臨之前結隊飛回遙遠的故土。年年如此、從不間斷，或許這只是生命的本能罷了！像一般的候鳥、秋來春去，橫越大陸、穿過海洋；而這裡只不過是你們歇腳哺育新一代的地方而已？春未到燕先知；那些不斷的訓練，以及頂著廣袤而暗藏殺機的風雨，迢迢千里，難道只是為了一睹故土熟悉的氣息？

夕陽逐漸西下，我在巷口孤立良久。我相信我們血液中必然流著相同的因子；只是我蟄居而你們不斷遷徙。彷彿之間，我看到了一行人字的隊伍，正向著幾千里外的北方飛去；沒有叫聲，只有翅膀靜靜地鼓在風中；沒有告別，只有一串串不需叮嚀的允諾。只是我來不及託你帶去我的信件——

・7・

右側是一面書牆，高八尺長十尺，藏書二千餘；前座是書桌二尺半寬八尺長；桌右有石章刻刀印台擁擠在一堆；正前方筆架上垂掛著凌亂毫無章法的毛筆，桌燈前兩側是一對仿古薰香銅獅；壁間掛有羊令公和王灝的聯字；左方擺放了一架古箏，整個書房大概兩坪半，中間以木欄杆和客廳銜接。夜深之後，這是純粹屬於我的地方。

美瓊的竹相當耿介也十分流暢；女子寫竹能有如此氣勢倒也不多見。畫紙上方有我刻送的兩枚閒章，一方「率性」，另一方小篆陰文是「一身風骨」，倒也適切佈局。畫，我所讀不多，卻喜歡水墨中那分貼近的感覺。四君子中我偏愛菊花，碩肥的黃菊；種菊偶也寫菊；修長的枝梗橫斜紙面，三兩朵全開或半開、三兩朵含苞或新蕊；左側我總愛配上茗壺一把、陶杯兩三。紫砂壺上則有我新鏤的石章——愛，恆久如石——而崩痕猶新。

茶，是宜清淡不應過分濃郁；尤其在風雨夜中，淺嚐那份微澀後的甘醇。春茶固然芳香，冬茶有時更耐品味；我最愛看你洗茶倒茶嫻靜的身姿。氤氳的水氣中，我們又回到了迢遙的漢唐子民懷抱著泱泱大國的風範、閒適且悠雅；連紙窗外草地裡的蟲聲也錯落有韻。平和且自然。

請為我彈奏一曲箏吧！輕撥三兩弦、流水有情燈色最溫暖；我將為你吟唱一首將進酒，用你熟悉的鄉音；鹿港調最足以寫意我此時的心情。請不要間斷，直到天明；風停雨止——

·8·

嚨嚨的車聲轉向小橋頭那邊了。窗外啾啾的雀鳥，好不熱鬧。雲層很低、風狂亂；東面的山影模糊了。偶有錦鯉跳水的聲音漾來；我在窗內抽煙、飲茶，靜候一個下午。

夕陽依舊從巷口那邊的蔗園西下了。說方言講俗話，我慣用濃重的鄉音話家常。孩子們踩著篤實的大地，呼吸著空氣中淡淡的青草味。人潮步於街角；我們剛從更郊區的田園漫步回來；池塘中水聲仍舊淙淙。

小黑已不再懷孕時那般慵懶了；牠正興奮而仔細地舐舔那一窩小狗，同時不忘搖動短而疏落的尾巴；牠的皮毛已褪色了許多。小龍抓一隻、叨一隻，小虎抱兩隻又跑去巷口玩；小黑緊跟在旁邊關注牠的子女。初夏的蟬在小沼澤亂草中長鳴；間或傳來蛙聲和蟲聲。我正重新翻土，考慮這一季要播種那些蔬菜。

美瓊在廚房準備晚餐；我清洗幾個陶甕，以備仲夏時自釀幾罈美酒。兩個小兄弟仍然在巷道間穿梭奔跑；風鼓在他們的衣襟。我看到他們壯碩背影正離開這片他們熟悉過的土地，投入攘熙的都市；天色的確暗了，我們結伴在巷口輕喚他們回來——

——「原載聯合文學」

索居賦

流水

沿著迴繞古老小鎮的河堤我踱著……

去歲榮茂的蘆荻依稀還散綴在廣漠的沙洲上。一隻野斑鳩自叢草中驚起，撲打的雙翼使夕陽濺起了一陣水聲。黃昏時分，我總喜歡在笨港溪的河堤上漫步。溪水依舊潺湲西去，古老的小鎮依舊安詳地躺在她溫婉的懷抱裏。滄海不免桑田，海岸離此有三百年了；三百年來，唐山人在笨港落地，生根卻緬懷遙遠的故鄉。

一水之隔恍若兩世之別；媽祖廟在笨港人的鄉思中被建造了起來。陌生的島嶼，多煙霧風沙的渡口；三百年來，廟內西廂中長滿銹綠的鐵錨告訴了我們所有的訊息、過去和未來；惡水險浪畢竟羈留不住唐山人的承諾，船來船往、潮水淹來又退去，景色變了，人物消逝了；而故土的影像卻愈來愈清晰！

我從廟門的碑文和正殿的龍柱上得知了有關血的召喚。碑文有一手飛揚俊拔的行草，深深地鑲進堅硬的青花石中；在秋末午后的陽光下，更顯得蒼勁而遒健。碑石的兩側是山水在鳥的浮雕；水聲淙淙，迂繞自暗淡的遠山；竹葉上依稀有涼風徐徐拂拭，石隙中的蘭芷彷彿也漾漾了幽靜的芳香；接著清脆的鳥囀就纏綿在澗谷山坳中了。

嬝嬝香火的薰染使得龍族的後裔純厚而篤實；龍柱立於大清乾隆乙未年，刀筆不多，簡單的線條中卻渾圓了自然與大拙的氣質；樑柱上有著太多歷史的彩繪，它無非要告訴我們有關唐山古來發生忠孝節義的故事。只要你用心去讀它，在苔蘚斑剝的雲層之後，你不難發現時空在鱗爪下也遺落了時代沉重的傷痛，好似祂承擔了所有的苦痛和折磨，默默地忍受，承擔你我所無法忍受的合離和死生；三百年來，我們重複了風和雨無情的侵襲！一如我們渡海的先人。

港口淤淺了；勁瘦而黝黑的木麻黃整齊地排列在河堤兩岸，終年接收海風帶來有關故土的消息；沉默而筆直的樹幹，根則盤錯深入鹼濕多砂礫的泥土；而後，這古老的小鎮從繁榮的港口變成溪南溪北耕耘的大地，人們在這建立和故鄉同樣的街道同樣的口音；憨厚而樸拙的口音。而後，笨港人在這塊河床沖積平原上又疊起了高樓和大廈，樹起了電視天線以機汽車代步，並虔誠地祭祀祖先膜拜媽祖，一如開拓斯土篳路藍縷的祖先。

火紅的落霞傾注在西去嗚咽的流水裏；沿著古老小鎮的河堤我踱著……

雞聲

隨著雞聲起落隱約，我來探訪你滄桑的身世！

天色未明；月，剩下半朵，清朗地垂掛在西邊；星，三顆，點綴在你偉俊的背影之后；你的胸前清楚地刻鏤了「顏思齊登陸紀念碑」幾字大字；而刻著「開臺先驅」的花崗岩則是你剛毅的臉孔。碑石高十餘公尺，靜靜指向蒼茫的天空，猶如你不馴的個性仍然頑強地與天命抗衡。我幾乎可以想像，將近四百年前的天末，你選擇這個孤高的夜晚，帶著三千流落日本的鄉人突破了死亡和風浪，勇烈地搶登這個荒僻的海口；隨後並逐漸拓墾至諸羅番社。如今，你的野墳寂寞地躺在臨山的荒郊；我則在已離海上十里的古鎮內憑弔你風雨的身世並歎怨你未竟的志業——

月，悄悄走了；幾盞星光零散在墳前的碑碣之間。天色闃黯、風哀悼似地嗚咽著，墳上的野草在梅雨後急速竄高並迎風飄搖了。二個高塚，一百零八條漢子和一條忠狗，三百多年前你們為抗禦日本海盜而流血在這美麗的島嶼上；三百多年來，純篤的笨港人在你們戍守的汎地建造了永世的香火；每年並在你們成仁那天祭祀和悼飲。我彷佛又聞出了密佈烏雲中埋伏的重重殺機；彷佛也看到了巨大的浪花不斷的在岸邊岩石上開開落落；而狂風挾持暴雨，更恣意地侵襲著這個臨洋的古老小鎮……風雨暗淡，三兩盞不墜的星光；你們死后的英靈仍然眷戀並庇護著回鄉永恒的津渡……

等我趕來此地，天都將要放明了。

千萬頃一畦一畦的爆竹紅在晨曦中顯得特別惹眼，初陽剛從諸羅東方的山上緩緩升起；夜幕則逐步逐步撤離了大地。不一會兒，你遼闊的墓園和高聳的碑石就完全暴露在陽光中了；整塊開曠的嘉義平原也繽紛了均勻而祥和的海風。只有昨夜的露水仍舊殘留在昨日墳前的封樹！

秧苗油綠、田水正活潑；而殘缺的石獸翁仲散立在稻田的中央。我們依稀可以辨認，六十年戎馬生涯換來面向故土的墓園，彷佛乃留有你的遺言；只是你散落內地的王孫恐怕久已遺忘來此省墓了。墳上的雜草叢生，碑石的篆文則脫落剝蝕；至於現在的天色，慌亂的炊煙可以說明你此刻的心情——一個曾經顯赫過的、落寞的、劍士的心情：「皇清水師提督二等子爵追贈太子太師王得祿之墓」！

那灣清淺的小河，正訴說如何由燦爛回歸平淡……

梵唱和著陽光從竹林中悠悠灑落，嬝嬝的香煙遨遊於小河兩岸和廟廷的古榕之間；紅黃相雜的美人蕉，隨著流水一路夾敘夾議唱了過去；至於竹林外則是一片喧鬧的菜花黃了。我剛拜別提督亦壯亦悲的墓園來到這裏；庵名喚做水月；恐怕也在鏡花之外，雞聲想告訴我們一些故土的懷念甚或鄉思的聊慰之類的水聲了。

上人聽說已去雲遊；庵前的石桌上猶留有一絲雲煙。水月庵建在乾隆五十六年，陳家的祖祠；在高節的竹林中已延續七世了。潁川是堂號，透露出一些血緣的牽掛；水月與鏡花，在煩囂的世塵中總是值得反照。庵前右方有一小塊稻田、左方是一畦菜園，圍繞的是一方禪機的小潭；疏落的籬笆內，兩三隻公雞則引頸啼叫：

天，是完全放明了……

午風

幾片風從籬笆側身擠了進來。一顆熟透的檨仔陪著一顆青澀的八臘咚的掉在我頭上，然後滾落到地面。交錯的樹蔭灑滿了細碎的陽光，午後的陽光依然鮮艷如童年。小虎咯咯清脆的笑聲跟隨著他阿媽追趕的呼叫；一小一老，身影閃過木門的隙縫；不一會兒，整條小街孩子們的笑鬧聲，便沸騰起來了。

南方古老的小鎮，炙熱的陽光、清爽的榕鬚和愉快的午風。我在庭院裏的樣仔和八臘樹下靜靜坐了一個下午；什麼也沒做。下午是適合孩子追逐嬉戲的！看著小虎壯碩的背影、小面細碎的腳步、漫天飛舞的小手，偶而跌了一跤，來不及拍去膝上的泥沙又跑了過去；額前的汗珠灑佈在眉宇間，而背心就好像剛從水底撈起一樣！啊，那可不像極了小時候的我！難怪小虎經常會支頤著小臉，指著書桌上我小時候的照片說：「ㄚ虎、ㄚ虎——虎。」

時間在茶的冷卻中也無聲無息消短了；涼了的茶水變成褐色卻帶著冷冽的甘醇。太陽不覺已偏西；抽煙、喝茶，看兒子和場上孩子們玩捉迷藏打彈珠，一個下午就這樣磨耗了。兒時的玩伴，大多去城市發揮了；而他們的孩兒留在這古老的小鎮——和年邁的雙親守著故居和田園。

捕蟬、釣青蛙，到魚池裏去狗爬一番，似乎是童年仲夏主要的遊戲。剛吃完中飯，大夥便迫不及待帶著瓶兒罐兒出發去蔗田捕蟬。蔗田在糖廠後農場裏，一大片一大片翠綠的海浪在午風中呼呼作響；小蟬兒披著綠色的外衣躲在蔗葉中吱——吱此起彼落地嘶鳴著；好似整個夏天就終日這樣忻愉地叫著哪；然後大夥兒爭先恐後跳入沒頂的蔗浪中了。一個下午，我們總是很快就用光了，換回來一瓶罐兒的小綠蟬；不過，我們也老是把蟬兒遺漏在魚池塘邊——在我們泡到黃昏天黑狼狽奔回家時。

咿呀一聲，小虎撞開木門衝進了庭院，跑向我伸開的雙手，跳上肩膀並在我臉上不斷親著；而小龍在房裏憤忿地哭著要吃奶……他們兄弟有同樣長長的睫毛和麗亮的眼神；街坊上阿婆們老喜歡七嘴八舌說他們像極了小時候的我。我的眼神溜過了小木橋上的落日和庭院裏的樣仔八臘樹，以及想像糖廠農場裏那片綠色的蔗海。

我把熟黃的樣仔遞給小虎，細看他的眉睫、他的眼神和他狼吞虎嚥的模樣兒，自己不禁都笑了。幾片午風從籬笆側身擠了進來。在幽暗的夜裏，我們又如何來辨認天河的方向呢？

當我離開這偉大的城市時，五彩的燈光正從大樓間次第點燃了；人類高度的文明彷彿在燈光下突然甦醒過來。幾天前，我懷著崇仰的心情來這二百四十萬人的城市欣賞了各種藝術的活動；小提琴演奏、舞集劇坊公演、畫展雕塑品賞，以及各種鄉土音樂戲曲等。臨走前，這城市的官員們正出現在電視上高呼市民踴躍參加這次文明的盛事；從交流道轉上高速公路，突然間，我發現城市上空高吊著一枚貧血而啞口的月亮；而星光呢？

車子轉進我熟悉的鄉道。混濁的空氣已隨著城市的遠離而慢慢消褪了；月，玲瓏而剔透；溫煦地灑透春耕後菜花黃的野地。湛藍的天空和金黃的大地洋溢著此地大草原熟悉的青草味；高壯的木麻黃仍然忠貞戍守著鄉間的小路。月色很高，偶有夜梟嗥叫而過，掀動了寧謐的水幕，水聲從這田漾過那田潺潺不絕。村落外三兩盞淺淺的路燈，告訴我說小鎮已熟睡了……

小鎮已熟睡了。均勻的呼吸帶過一陣飛霧，自我的身側走過，游蕩在夜深了的街路上。媽祖廟前的夜市仍然繼續著，廟庭內野臺的戲臺前仍然隨意躺臥著幾條長短的板凳。商號和住家大都闔起了門；或有幾個鄉人圍坐在茶車前盤膝品茶。我路經矗立紀念碑的圓環，水聲正不斷從噴泉的四週忽明忽滅，散入古老小鎮的夏夜；有幾個袒著胸肚留著斑白鬍鬚的老者，則擺平在石椅上打呼嚕……

自安詳的街道回來；霧，緊跟著我湧入蟲聲唧唧的庭院，隨即便悠遊在老榕檨仔和八臘的樹影間了。你是否也有失眠情形呢？溫柔是唐山人的質性，敦厚同樣流動在笨港人的血脈中；同樣的小吃口味、同樣的市井街衖、同樣的戇厚口音；而山水又只在記憶中沉澱嗎？山水在遙遠的大地，幾百年來，我們在此落了地生了根，而來時的渡口卻一天天遠離了我們祖先長久的叮嚀。靜坐階沿、讓霧沉澱為露，沾濕我清癯的衣彩……

幾盞星光，堅持在微明的晨光中綻放——

——「原載商工日報春秋副刊」

一片菜花黃

你一定可以想像：冬天的陽光透明得如嫺靜的野地。天空，靛藍得可以，風很低緩；從八方四面；背景的遠山顯得很蒼翠。甚至連一群白雲都刻意躡足走過——

呵！你一定可以等待，等待我帶你走進寬敞的田野。那兒有我激情的呼息；而你便是那風中的菜花黃一片了。恣意地在冬天貧瘠的土地上生根；在我熱情的胸膛開放。一夜之間，你一定可以了解春天已越過冬季甦醒過來了。

甚至在月光下的菜花黃。如果你願意等候，等候明天的陽光，呵，請收起你的淚你的傷情。銀色的月光下菜花黃更洶湧了。不管是露凝成了水幕或夜侵佔了田野；她仍然貞靜地開著開著。然後將血匯聚成種籽等待明天陽光的到來。

夜很孤單，你纖柔的背影獨自走進寒涼的湮霧；我的眼便模糊了。呵，請等待，請靜心等待，一片廣漠的菜花開在沒有拘束沒有規律寬敞的田原上——吾愛！

——「發表于一九八二年六月台灣日報」

—收入「每日精品」

吾愛！請細讀我的腳步

·七月十四日·

吾愛，夜來臨得這麼快、這麼深。風勁急地掠過；在風城，交大的校園，夜的構成是幪幢的樹影和不寐的思念。星在風中顯得有些游走不定。想此刻，你必與我們的孩子相擁入眠。哎！我的小虎，他微翹的小嘴，滿足的鼾聲想必正緊偎著妳豐隆的胸前；而我在五百里外的異鄉想念妳們母子，靜待黎明，而后整裝出發，奔赴那莽莽的山群。

夜深的風城是有些微涼了。吾愛！妳該深深瞭解我遠行的理由。自從離開南方南港城的校園之後，落實的生活已使得我心力疲憊、體力衰微。我們都已不再是子衿青青閑適疏懶的學子了。兩年來，我擁有了所愛的妳和這一個家，卻也逐漸遠離了我年少時的意向和企圖。我不得不承認現實生活與理想志趣的矛盾；因此，我選擇了山！山，啊——吾愛，我們曾經一起攜手走過的林野；祂使我回想起我們多波折而甜美的戀情；如今，祂已成為我淬勵心志恢復自信的借力。走向祂、使我記取文學和愛的路上所需的是永遠不懈的虔敬和奉獻。

校園內的文學是充滿掌聲和光彩的；園外的路樹卻顯得寂寞而漫長！我們同校而且同班，在洙泗水畔我們聆聽鐘鐸悠揚的聲音、並誦吟詩詞、什韻中原。滿月的德樓有一番細緻，蘭苑的月眉也有另外的風景；我在大雨下暢言我的志向、妳的將來；也在微雨中輕吟為妳所寫的詩章。當然，那些景色那些情境，有時竟然也是我們拌嘴鬥氣的時候了。然而不管是月圓或者月缺，那種心情畢竟是美好，是記憶裏永遠揮抹不去的烙痕。

而現在呢？理想總是不能掛在風中，春花秋月的心情終是也會轉移！踏出校園後才知道往日立下的目標遙遠得令人膽顫和心驚；而愛的旅程也只是平凡又平凡的家庭生活。吾愛，如果我們無法忍受往後數十年甚或一輩子的寂寞；如果我們無法在細瑣的家庭生活中肯定我們愛的不渝和滋生，那麼，對於未來的憧憬、以往的情懷、我們的孩子，我們又將如何解說我們的不是？因此，我想到了山，明天一早我就整裝上山了！本來我希望妳能跟隨我來，但小虎是離不開媽媽了；這樣也好；我上山肯定自己信心自己；妳留在家中細想過去清楚將來，並等候我自山中歸來——

吾愛，風帶了些涼沁的露華，牆外盞盞家居的燈火使我不能入眠！

・七月十五日・

山路顛簸；車程九十五公里，由新竹經竹東、五峰、清泉、觀霧到登山口，共費五個小時。登山口瀕馬達拉溪下游，標高一七五〇公尺。我們散落在附近午餐，稍事休息後即行開拔。腳程三・三五公里，拔高九四九公尺。

吾愛，攀爬陡坡是一項艱苦的考驗；或說是帶著些自懲的快慰！此去路程三千三百五十公尺，拔高卻近一千公尺。妳一定記得我們溪阿縱走的好漢坡或美濃溪岸人面山的碎石坡吧！我們曾跌坐在沒頂的蘆草中狠狠地淌汗喘息；那些坡度不過二百多公尺而已；於今相較，也就算不得什麼了。妳曾「發誓」說再也不登什麼山了；而此刻我卻又在這山間奮進奔走。只有急促的喘息聲和汗水跌落地面的回聲；山路依稀可辨，彷彿沒有盡頭，而又一尺一尺地長高長遠。休息被禁止；這是一次競賽，一次與自己、與自然與往後心情的考驗與競逐。馬達拉溪的水聲逐漸遠去，我們進入了原始森林。

山和原始森林使我想起戊午歲初搶登雪山的時候。我越過薄雪的山頭急奔在原始森林冰封的雪地上；腳步由快而慢而蹣跚了；鬆軟的積雪高到我的膝蓋。翻越陡峭山坡是嚴肅的，而寂靜的原始森林卻含詠著一份生機，一份充滿粗獷原始的氣息。林內的天色灰黯；唯有吹過樹梢蕭颯的風聲，林鳥寒鳴的啼聲；你不由得不聯想起這宇宙中應有著其他的主宰。祂在飛雪的山中讓你敏銳的觸鬚不斷感覺到，卻又不知祂潛隱在那個方位正怒視著你魯莽的侵越。原始森林是屬於狗熊、野狼、山貓，屬於鳥類及其他花草樹木的；人類不過是個偶而途經的過客，不免因祂的神色而自卑而心驚！

我們在午后三時抵達九九山莊。

雲，自四週環繞的山頂盤旋而下，從山谷右方缺口不斷注入。山莊在剎那間為雲霧所吞噬；山陂下那朵野百合也失去了蹤影。雨沿著山徑一路喧嘩下來；有一批人自山中急急奔回；雲在谷中不停地翻攪滾躍，好像一群頑皮的學童正相互追逐嬉戲。九九山莊標高二六九九公尺，是攀登大霸尖山的補給站。雨點如豆，打在白鐵皮的克難屋頂，叮叮噹噹一路下山而去；一下子雲霧也各自奔出澗谷和山巔；陽光又從上方灑下。山坡上原來長滿了攀藤的野薔薇和高山杜鵑。吾愛，下山後我將為妳仔細地描繪九九的閑雲和野花。

山中的星光顯得特別明亮，吾愛，記得瑞里的夜和星嗎？那時的我們多年青！一簇簇梅花在晚風裏散佈著清醇的幽香。星河如帶，我們辨認著星座的方向，談論著未來的夢和理想。溪頭到阿里山、阿里山到瑞里，艱困的徒步行程並未減少我們欣賞星夜的樂趣；那只是因為我們年青麼？幾年來歷經了多少困難和險阻，我終於擁有了妳，這個家和小虎；但是，那個時候我們在一起欣賞夜色觀望星空呢？丁已歲末，我獨自在南橫線上的寶萊坐看星光；星，明亮澄澈如一條玉如意斜過廣袤湛藍的夜空；今晚，我在微涼的九九想到了妳我最初的愛戀。啊吾愛！如果現實生活使得我們無法一起在山中過夜，那麼，讓妳仔細閱讀星斗移走的痕跡吧！它記錄著我的行程、我的意向和我對妳永世不渝的情愛——

·七月十六日·

四更時分，月隱星稀，我們列隊穿過箭竹林夾道的小徑蜿蜒而上；護腿交錯唏唏嗦嗦的聲音綿密而單調地傳下山去。九九距大霸七·八公里；我們要趕在日出前抵達三〇五〇高地。

盤桓在之字形的登山道上，左側是重重疊疊的山巒，右側的山嶺逐漸開朗平坦而去；遠方是新竹附近肥沃的平原。吾愛，山的起伏如海的浪潮，一波又一波地湧現眼前。想起我們旭海的夜嗎？那天早上，我們尋訪過一個種植果樹三年無成的老農民；晚上我們沿著海濱的懸攀登山嶺。海，是如純淨與祥和；星光映落在水面，遠方有點點的漁火。旭海濱的山嶺削瘦多稜角而交互疊起，訝異的是一群放牧的山羊輕靈地跳躍在峭壁岩石間。那些星光那些漁火，吾愛，就像現在我眺望著平原開口處的燈火！我想那是竹東和新竹一帶寐寢的夜燭，啊！紅塵十里十里紅塵——我在月落時分追趕山的腳步，追趕自己寥落的身影；今夜我在燈外進入山中，明夜我將離開這兒返回故居；塵裏塵外燈起燈滅，原本就是我們無法迴避的！吾愛，對於我們的結合，妳會覺得不夠輝煌與燦爛？答案就在甯謐的燈色中。

我們側過三一一一公尺的加利山左，在天微明時到達三〇五〇高地，這時東方的山邊已是一片魚肚泛白的天色了。高地山群的鞍部，視野遼闊；前右方是沒有三角點山嶺不甚顯著的東霸山群；正前向是隔絕台灣東西的中央山脈，西南西是雪山支脈，右側是伊澤山；我們屏息等待著日之東出。吾愛，守候日出不只是等待金陽突破雲層的喜悅，還是包括了長夜後晴空的萬里和希望。三〇五〇高地盈溢著虔敬肅穆的氣氛。

太陽以嫣紅的霞氣為引導，緩緩地升起！終於射穿了綿厚的雲層，在瞻仰的心情與興奮的輕歎中突然躍出了遠方的山頭。我們隨即脫卸了禦寒的外衣，讓陽光輕輕敷灑在心上和臉上，全隊再出發。吾愛，雖然高地的雲海比不過阿里山的壯闊和洶湧，也比不上琉球海面的炫麗和燦爛；但是我仍然會深深懷念著這裡充滿誠懇真摯的心情。吾愛！我們曾經追索在古典文學浩瀚的海中，想必妳能了解我奉獻的虔敬與肅穆。雖然我們無法璀璨如那枚初昇的金陽；但我們可以、可以化為一束盡責的陽光，在漫漫的長夜後給予世界一絲溫暖一些希望。這是我的初願，也將是永遠的允諾！

路經伊澤山和長滿林木的中霸左側，我們沿著稜線切過山脈。大霸尖山雄渾突兀的身軀聳峙在流雲急風中；風急急削過霸底的風化岩，山谷間隱約著一股懾人神秘的回響，風口和霸基的山群被刮成圓弧形，淵深的斷崖、險惡的峽谷以及流雲的拂過襯出了大霸尖山的蒼茫與孤寂。我們自高大的松林下經過，聆聽山的呼息草的耳語。咬人貓繾綣在樹下，翠綠的葉子長滿爪般銳利的尖刺；蘆草蕭索而削瘦；偶有些小野花、草蘭之類的小野花；吾愛，在山中，草有草的花有花的天地，樹林也擁有他自己的空間；花與草樹與風同聚會在山的懷中，便構成了山的豐盈和富有。我想：愛也是的。我們來自天南和地北，藉著機緣共同恩愛在家的懷抱中；妳是花草我是樹風，家的山坳有著滋愛的溫馨。吾愛，我們無法知道我們的前身是否為夫婦；我們也無法預卜來世我們是否會聚首，我們唯有在這能夠肯定、能夠把握的有限時間裏，緊緊地依靠在一起才是真實的。樹的高壯風的瀟灑只有在草的攀沿、花的依附中才顯現得出他的個性和氣勢。我知道，妳一定願意妳是一枚溫柔的花草，而我必是那樣挺拔的松柏！

沿著鋼架我們走過風口。霸基是一地碎裂的頁岩；泉水從隙縫中不斷湧出；不毛的風化岩間搶生出許多蕨類植物。攀登霸頂需要繞過霸底的背後；矮樹林中有一條岔路通往小霸尖山；我和二位伙伴決定先搶登小霸。

穿過樹林和小叢及肩的箭竹林後，一條稜線伸展至小霸的底部。這時風聲逐漸加大了；大小霸的鞍部間佈滿了禿拔削瘦的石塊；向風處沒有任何草木生存，背風處有一道新近山崩的痕跡直瀉谷底。小霸的顏面比大霸猙獰可怕，標高三四四五公尺；從霸基到霸頂羅列著一塊塊灰褐的巨石和細碎的砂礫；意外的是岩石間散立著一些玉山圓柏盤踞低垂的軀幹，昂揚飛奔的針葉，無一不盡寫了祂所受風霜雨雪的意氣；如何在惡山烈風中保持綠意盎然的生命！於歲寒松柏不凋，你可讀出生命尊嚴的可貴；於事於物，對妳我的愛和我們立定的目標，吾愛，妳必須能夠深深瞭解祂的意義！這時樹又成為我們攀爬小霸最好的借力；但我們仍需隨時注意上方的砂礫和落石。

陽光下我們登上了小霸尖山。雪山山脈清晰地浮現眼前；蜿蜒的山路如帶般盤據在山與山間，穿過林木、穿過雲端。天氣晴朗，有風吹過，拂動我的鬢髮；雪山北稜角形勢險惡矗立在右方；大雪山巨大的冰斗斜對著小霸的三角點；雪山東峰在左後側。對岸山間的小徑，在戊午歲初積雪的時候曾經鏤刻上我踉蹌的足跡。妳在北部，我在南方，南北乖隔，吾愛，我在南方望穿天色；思念妳如冬雪之等待春臨。大雪山標高三八八四公尺，僅次玉山，現在仰望祂的英姿依舊勃發如昔日。去來之際，匆匆已一年半了；而我佇立在這座山頭上遙望妳想念妳，渴望妳的愛，瞭解和體諒！

愛的構成應包含了瞭解和體諒，吾愛！雖然我們已共同創造了一個家；然而愛的滋生仍是家所必需的；愛的滋長永遠需要瞭解與體諒；熟悉他生命中每一個腳步的聲音，細讀他心靈中每一次搏動的原由；如此，落實的生活應該也能充滿愛的神奇和喜悅；寂寥的路途應該也有妳同行的慰藉和勇氣。哪天等我們的小虎稍稍長大，我一定帶著妳們循著我走過的痕跡，遨遊在山間水湄：靜聽風聲和濤聲！

我們得感謝那些不曾留下刻名的英雄。吾愛，大霸尖山的險惡和陡峭如果沒有這些鋼梯鋼索是不易攀登的。我們自他的側背直立而上。群山在腳下逐漸渺沓；峰頂有雲飛過、山腰有鳥飛過。呵——鳥和雲終年竟日與他相伴，這山中的巨人、不夷的神祇。背陽處陰涼多輕霧，向陽地乾燥而炙熱；細碎的風化岩中爭開著簇簇雛菊科的小野花。花的顏彩熱鬧而繽紛：黃的、紅的系列，靛紫或純白，在山風的吹拂下快樂地播散她的種籽，征服山的獷野，給祂增添了無數的溫情與慈愛。鳥囀嘹亮而清脆：在山壑、雲端和樹梢悠閒而自在；或成雙，成群築巢在岩隙、樹中，給寂寞的山帶來歌聲；在祂的懷裏有著愛的溫馨。自然界中只有人類是脆弱渺小的；他遠離了孕育他的地方太久太遠了；唯有雲、鳥、樹和雛菊才是神祇的子女、山中的永宿者。我在玉山上也目睹過這幅詳和而偉大的畫境。

吾愛，山的寬宏與深潛隱含著一股懾人魂魄的氣勢；這是我一再奔赴祂的理由，也是我膜敬祂追尋祂的緣因。鳥瞰山一列迤邐的隊伍，彷彿看見自己正在人群裏孤寂地走著、走著。回想玉山頂上右老含著淚光的眼眸正凝望著海峽的對岸；而對這位苦難時代中的巨人亦不能免於去國懷鄉的愁悵，內心的隱痛彷彿也被牽引了出來。吾愛，妳一定記得那位對國家對民族充滿了愛，在鵝湖畔論德傳道的教授沈宏的聲音：這是一個悲劇的時代；也是一個充滿未來希望的時代！民族自尊的恢復，統一中興的王業落在這一代的肩上。因此，我們需要開國先烈昂揚宏豁的氣勢；我們需要歷史文化中明晰澄澈的精神。吾愛，氣勢與精神的傳遞正是我們雙手的授受、時間的承繼；我們唯能以時間的走過來證實我們的允諾，對家國永不懈惰的情懷！至此，妳該能完全諒解我上山的心情——

噢，吾愛！讓我引妳流覽這片美麗的山河，熟悉我們生長的地方！霸的構成是嶙峋的巨石和寂寥的風聲；週遭的群山起伏不定；山色潑染的層次分明了山脈距離的遠近，由灰黯、墨綠而翠綠。放眼遠眺，無非是交相錯疊的峰巒和幽深潺緩的澗水。山勢的走向偏對西北，開口遠處是曚曨的平原，再遠處就是靜時如處子的海峽了！東南偏北的山群是中央山脈，山的那頭就是台灣的西部平原；

從中央山脈衍生過來的是雪山山脈，大雪山的偉壯一如百萬年前不減的豪氣，而冰河侵蝕後的遺跡更易見涵容的胸襟；東北向遠處是中央尖山；小霸則尾隨大霸山稜一路南去；桃山則深似一枚青淳的果實。吾愛，孔子登泰山而小天下；大霸山巔也是一片無盡無止的山川；於人於事於物，廣袤的黃土沖積平原才是我們所應具有的個性，民族豁達的胸襟。這原是我們，和我們孩子所要學習的——

中午時分，我們通過三二九六公尺的伊澤山回返九九。抬眼遠望，濃密的雲靄已淹沒了大霸的身影……

·七月十七日·

吾愛，我靜坐在窗沿辨認著遠山迴旋的道路，計數著回程的多少。回望山群，依舊只有深深眷意的雲飄過、依舊只有谷風踱過林梢的姿態和上坪溪漸行漸遠淙淙的水聲。車過後，揚起一陣灰塵。

我為妳帶回一片檜木，吾愛，在它緊緊纏繞的年輪裡，妳必然可以讀出某些風霜和雨雪，多少時間走過的跫音和足跡。在短短的四厘米中顯示了它渡過一百年的歲月；我願珍惜它，珍惜我們所能相聚的時光；因為，我們生命裏必然也將記錄著妳我交會的影子。人類的年歲比不過這片檜木的長久；但我多麼渴望妳我的愛能遠超過年輪中所能負荷的時間；同樣的，我也多麼希望妳能知道妳能體諒；我的奉獻，即使盡我一生奉獻於我們的所學，也只是歷史巨大年輪裏一個小小的片段而已。但是，那已成為我生活的憑藉，唯一能與我對妳的愛相提的生命的意義！

吾愛！我想妳的笑容、孩子的笑容。天將暮，有歸鳥自窗外掠過；讓我輕誦為妳所作的詩句：

妳是否已回到故居

守著一盆熊熊的爐火

等我風塵僕僕，自山中急急歸來？
哦，吾愛，請細讀我的腳步——

——「已忘了登載在哪兒！」

綠蟬兒和紅蜻蜓

夏末午后，一陣雷雨過後，巷子口的小橋頭不知何時又飛來了一群紅蜻蜓；我剛帶小虎從糖廠的蔗園回來。小虎開心地叫著——「紅蜻蜓，好多好多的紅蜻蜓喔，在天上飛！」；「跟剛剛的綠蟬兒一樣多！」

是的，孩子，今天傍晚的紅蜻蜓又回來了；只是你很少看到罷了。其實，我也很久沒有看過這麼多紅蜻蜓了；就像那些綠蟬兒。我的童年，整個暑假都是在抓綠蟬兒捕紅蜻蜓的遊戲中渡過的。

每天吃過午飯，大人們都去睡午覺了，我們一群小孩（我，隔壁的戽斗、扁仔、對面的阿珠，巷口的紅鼻仔）每人拿到了一個酒矸仔就相約出發去探險了。首先，我們得大搖大擺走過糖廠大門的警衛室，再跨越長滿不知叫什麼花兒的花圃和掛滿了龍眼的宿舍（當然，我們會大方地趁主人不注意的時候借一串提在手上）；隨後一行四五名，浩浩蕩蕩穿過糖廠的農場小路和一條橫跨小路的小鐵橋，有時還對經過的小火車上的旅客猛揮手。事實上，走那條荒僻的小路很像是到了外星球；不過我們都很勇敢，唱著哥哥爸爸真偉大向前邁進了。

之後，那一片蔗海就在望了；好大的一片甘蔗海啊！大伙吼叫一聲全都衝進了一人高（一個小孩兒高）的蔗園中；突然，叫得唏里嘩啦的綠蟬兒被我們這批闖入者嚇得一下子全沒聲響了，綠蟬兒的顏色跟蔗葉一模一樣；有一雙透明的翅膀，個兒只比花生米稍大了一些。我們一列排開，各就各位，沿著田畦散開，就像一隊搜索的尖兵在佈滿坑洞的戰場上前進。只有風，和我們走過蔗葉沙沙的聲音，晃動著嫩綠的蔗葉；綠蟬兒疏疏落落地散佈在葉尖、葉背、葉溝和蔗梗上，不過總逃不過我們銳利如鷹般的眼睛。偶而我們會同時發現了一隻綠蟬兒，不過，我們幾個男生早就約好把它讓給那個三八阿珠；因為她最笨又最愛哭。通常，我們都會把酒矸仔裝滿了綠蟬兒，再放進一根嫩蔗葉後打道回府去了；這時，滿園的蟬叫聲又會在耳後大叫起來了。至於紅蜻蜓，那是我們準備挨罵的回家途中的順手禮物；因為，日頭落西的時侯，牠們總會一大群一大群地低飛在小橋頭上。

「爸爸爸爸，快，快抓住他快抓住他！」小虎興奮地叫著；他從來沒看過這麼壯觀的紅蜻蜓，手上的玻璃罐幾乎都要翻掉了。「好，我們趕快回去拿把扇子！」，我拉著小虎的手衝回家中，時光彷彿又回到了童年；在落日餘暉下，我看到了一群小朋友正拿著蒲扇撲打滿天飛舞的紅蜻蜓。

—「已忘了發表在哪兒」

懷人

一、給承明

你回金門了。

結訓後，你說過你會再來笨港；可是你沒有。我心中暗暗預想，你或許已隨部隊返防你的故鄉了。果然不錯，一旬後你來信，第一句話說：「回到這風聲蕭蕭的離島來，最令人掛心的是『風燈』。」你我相知數年，雖然我知道你不管身處何處，惦念的總是那盞風中熒熒的燈火；但我閱信後仍然忍不住有太多太多的激情。

江老總說我們的詩情應該調和一下；他說你太感性而我太理

性了。然而幾年來，我知道你感情的背後卻隱藏著一股堅毅和固執——為詩的永恆真理而固執。我們曾在笛笛蟄居的斗室談我的美鳳你的翠芳；有年暑假你來笨港找我，談及了你心中的焦慮，關於「薑花」，而我卻在夜半趕赴北地。

畢業後你在善化任教，卻為每期的風燈而來往奔波於諸羅笨港之間三四次。笨港夜的氣氛是祥和的；燈下，我們為祂的出生往往研討至凌晨霧濃的時候。你我或會為一首詩的優劣而熱切爭論；但最後我們總是在誠摯中獲得批評和指正。我們常戲笑說：「大概沒有任何一個刊物像風燈這般『小氣』了。」印刷廠的工作人員對你的「囉嗦」幾乎要「另眼相看」了；但你仍然笑容滿面地請他們改這改那。其實我知道，你平常最不喜歡向人低頭的。

你回訪故鄉。遠離了你的小薑花，遠離了風燈。南方南詩意闌珊的教授知道了他的學生對詩的誠毅和固執，不知是否會憶起他當年叱吒縱橫的豪情？而我，卻憶起「殘軒夜讀詩邀承明」的最末一節了：

或是你可來此
暫時不回你砲聲隆隆的故居
來此與我共飲一杯
飲一夜嗚咽的桃源水

．承明以「薑花」一首獲得六五年復興文藝營散文組首獎。
．「縱橫詩社」民國五十年前後由江聰平先生等人創立。

二、給笛笛

——可曾聽到這生命輕輕的鼾聲？笛笛已久不聞琴瑟了

「歲末懷笛笛」

開學前你來笨港尋找。那晚，你留宿殘軒；我們卻聊到三更過後。

你依然讚賞我我的詩我的書法；一如幾年前你在師院細心地激勵我。那年少的我呵，自信而不自覺，狂傲卻又失意；承明與我在你賃居的小屋中一味傾訴我們年輕的不悅；而你總是為我們彈琴、吟詩，微暈的燭光聽我們談情感的悲喜，詩的嚮往

對了，你的琴音、你的吟誦，或激切或低緩，你那自得彈誦的神情。有回你低唱你自作的曲子，那是你去銘傳參加文藝營時寫下的曲子，我們低聲和著、和著。此後，風燈聚會的燭光中，你彈奏誦詩的神采便成了我們追尋的記憶。承明與我都畢業了。師院風燈的聚會不知是否還在昏黃的燭光裏誦詩低吟？那時，我們擁有太多太多的夢——

你仍然親切而健談。二三年來煩重的訓育工作，我發覺，並未減損你對風燈的熱愛和詩的允諾。是的，我們都已不復是當年子矜

青青的年齡了；承明的詩也由鄉思愁緒展向內心的覺醒和外界的關心；而你蟄伏的理由必也是掙扎的苦痛吧！畢竟，我們都已失去了浪漫的權利了。

只是，我們何時再聆聽你悠揚的琴音，和你沈宏的誦詩聲。

三、給希聖

高瘦的渡也和矮壯的尹凡說，你的詩可算是愁予以來一位充滿「味道」的抒情者。戊午年端午在諸羅一次小座談會裏他們如是跟我說。

你可知道我的心裏竟然充滿了興奮？一來我們是同門，你只高我一屆；二來是你的語言終於塑造出你的典型而受到他人的承認。想你此刻，必在圓山戌地的樹下假寐，並構思你新近捕獲的靈感。而我在南方小城想起你的音容：

大飄的漢子
整畝高粱種在陶碗裏
要就喝他個一石
而後以爆炸的獵槍誦詩
而後以走調的喇叭唱歌
——「渡河的獵戶」

日昨歐公自港城來殘軒籌策風燈。夜深靜的，我們不免談及你魁偉壯碩的「肚子」。你的用心與毅力是有目共睹的，毅力與用心帶你走入繆司的殿堂。我並把「當年「我們如何「瘋到」「華王」「遠東」「百洲」「西海岸」「喜萬年」「楊桃湯大王」等地去飲茶咖啡談詩誦詩的「感人」場面給他聽；還敘說我們去「涓涓谷」的小溪抓蝦子，詩在聚會開「沒人會跳舞的舞會」等等趣事。然後提到你著名的酒量和食量；然後吟誦你十分纖柔細膩的詩句：

昨夜我是聽濤的小僧
「紅暈是天籟
不知是南風？抑是三更化？」
在南方也這樣在意花兒懷孕麼？
——「落英」
擺腰迎春的小槿花狡黠的小槿花
——「三色槿」

而現在，你是否也正依著蜿蜒的河水吟誦一些詩句？將「一些樹，一些草，一些清晨」植入你清新的語言中？

四、給寒林

最令人記得的是你堅毅自信的劍眉。我進入師院時你已畢業。第一次會你是在江老的家中。

大三時，你自甫退役的軍中回校來探訪風燈。那時我當社長，你我在宿舍昏暗的燭火中暢談竟夕。就如江老談及北師大的「縱橫」一般，你的語氣依然充滿了初度的興奮。你說：「風燈是我一手創辦起來的！」，並娓娓地告訴我如何在風雨中擎起這盞燈火的種種。

這盞燈是永不熄滅的。後來你移居雨城，我返回笨港；笛笛與承明在善化，希聖則長駐圓山，師院的風燈在南方南港城微弱地亮著。丁巳歲末，我與歐公北訪雨城，你南下港城，旋即會商於善化；戊午孟春，你的風燈，你一手肇造的風燈便燒起祂倔強的火焰了！

美鳳閒居與我品詩，她常說你詩中帶著一股悲壯的情感和昂揚的氣韻；如今她已為我生下一個壯碩的娃娃了。她也喜歡你一系列神話背景的散文。其實，年過廿五，詩人真的不能再以才氣寫詩了。她更讚佩你嚴謹的寫作態度和對中國文學深究的功夫。

今年盛夏，承明我和美鳳走訪雨城。承明著實喜歡你們諧和的家居生活啊！連接兩夜，我們長談至五更；談及你我的理想，呵呵，孤臣孽子的胸懷又有誰能領會？徜徉山水鍾情古典也無非是一種寄意罷了。儒者不仕已久矣！時代的遞邅，這恐非是吾儕所能盡力的了。你曾說：「寫詩已上癮，是不能不寫了！」，又有誰能了解那份蒼茫的心情？

你來信說：「有空我會去笨港看你的。順便也再次去看看那古廟、那荒郊、那默默的流水黯然的溪、那土地。總之，我此刻的心情是十分懷念這一切的；尤其是你。」你不是更喜歡王得祿墓園那蒼涼無奈的天色？如果你來，你我再去憑弔並且飲酒，最好是霜華凝重的深秋，讓我們在風中合吟你悲壯昂揚的音色：

且讓我們在歲月的河岸上甦醒過來，遍地牛羊，石渠花開在你

我的血路去尋找歷史的方向，去創造心志的輝煌——明日的輝煌與偉壯。

五、銀杏的仰望　致向陽

再次翻閱你的集子，發覺我朱紅的筆跡竟然灑滿你的詩頁之間，我突然想起了，案中仍留有一二千多字關於銀杏的殘稿。現在那山中小城的林子是否都已掉盡了落葉呢？滿地銀色的扇子，呵，或者仍然顫巍於高大的枝椏？

最搶眼的你封底的照片了。蓬鬆的粗髮憨直的笑容。據說你很好相處，個性晴朗；而你來信真的能夠切證你是一條磊落的漢子。毅然走出鄉關走向向晚的烈士：

此去風沙經年，年輪斧鑿，鑿刻
你塵煙的顏面，你的顏面自心上

化昇，你的心上駐有秋，秋上有草
你不是草的族類，是走向晚照的烈士
——「銀杏的仰望」

我們正當年輕。年輕是可以接受嚴酷的評言的。所以，我要告訴你，在「銀杏的仰望」與「劍塵詩鈔一卷」之中，我們曾經誤植的腳印；呵腳印，是不可能自我們的年輪裏抹去的了；然而我們卻可以以此預知我們未來的行程如何以及堅持的理由。也許你已聽慣了掌聲；我要你的卻是掌聲之外的掌聲……

我說，在如此一片燦爛銀杏葉中，你可檢去不少迂腐缺憾的枝椏。語言形式的追求或可能會妨礙了生命的成長。修辭無疑地是確立文學精品流傳的要素之一；過度的鑿刻卻也扼殺了文意的孳生；尤其是齊言詩體的塑造，使得這片銀杏缺失了自然的參差之美，而有了人工齊枝齊椏的遺憾。典事的運用是必要的；適老的八不顯然是矯枉過正了；那位改了名的抒情詩人，在他的「傳說」裏就曾成功地揉和了典事的優點。我只能說，未來的歲月裏，我們或不能不晦暗我們過盛的燄氣，但我們仍得適度而小心的使用。

「家譜」這輯詩在背景的映襯和氣氛的釀造使用方言是有其理由的。我們來自鄉村和土壤，就必得擁抱這孳生孕育我們的地方；只是詩的誕生，總是精神的感召而非形式文字的催促。實驗可促進我們的成長；不自覺的嘗試卻也可能浪費我們追求更深境界的契機。

不多寫了。這些話隱埋在我心中也已很久了。以人為鏡可以知得失，得失寸心知，我們是年青得可以揮霍時間的——在詩的國度裏——是不是？

六、鄉土與明天·致莊金國

鄉土的精神不用標榜；鄉土應深植於我們內心，發生在我們的週遭。詩可以用來反映這週遭一切的事務；但我們最哀傷的莫過於為了「鄉土」而入詩了。

我總是記得你專心閱報的背景。平實的臉誠摯的笑容，口語中不忘帶點俚語。健談而不漫談；批評但非攻訐。那間小小的書坊啊，火車隆隆駛迴，剎那的永恆又是你伏案專心寫作的坐姿。畢業典禮後，未能與你道別一直是一種遺憾。後來我兩度再回港城卻都沒有時間去看你。

現在才有機會看到十幾年生活的面貌「一個沒有寫日記習慣的人，以詩錄下這些片面的觀照」，在我捨取「劍塵詩鈔一卷」時，就是充滿了觀看自己過去生活般的激動，我集子的縱面不及你綿延；橫面更不及你的忠實而廣多了。我最喜歡的是那些曾經隱藏假我背後真正的自我；而一般人往往不願拍攝屬於自己隱蔽的一面：

而妳竟然褪去
最後底　掩飾
最後我們全心的赤裸
任你拋棄

——「安娜豔舞」

躺在愛慾交疊的暖床
惑於一種熱切的渴望的姿態
啊夜，猝然亢奮了起來的
啊夢，徒然萎頓了下去的

——「夢遺」

除了精神內涵的感召，外在形式並非是「鄉土」詩的構成要素。你的詩卻是我最容易接受最容易感動的鄉土了。寫純樸村姑的一面，彷彿又讓自己從塵封的記憶中去拭清一個黯然而又熟悉的影像。「相親記」一系列相關的作品讓我憶起了你我談及這些詩時不在意又在意的神情。你的詩對於剎那的捕捉往往極為傳神；而帶些敘述故事性質的「秋風夜雨」「春花望露」也令人思起那些台語古老情歌背後哀怨的故事。尤其你的「溪埔風雲」，在械鬥於卵石雜生的溪埔地後竟埋下了一個令人心悸而痛心的生活的掙扎：

伊們是在思量潮退的溪底
種蕃藷好呢？或蕃茄

——「溪埔風雲」

如果說我對你的集子還有什麼苛求的話，那只有盼你記下寫作的日期了。這可使我們更容易進入你以往的歲月——

七、靜聽流水・致楊亭

長詩的經營需要壯闊的氣勢，敘事詩的建構則需戲劇的鋪陳；

而敘述長詩的完成就需要作者具有深厚的火候與功力了。讀你的「小問蒼天」一輯八首，竟又勾起我昔日豪情受挫的回憶了。

我曾嘗試寫過叱吒群雄最後抑鬱自刎的霸王，也曾想要完成一部獻給滇緬邊區戰士的賦歌。但兩者我都失敗了，前首進行五六十行，後首寫了近百行，現在祂們的殘稿都已被積壓在雜亂的書櫃之中。一首詩不能被完成是令作者極其痛心的，何況是兩首構思經年的長詩？或許是我野心太大了；看到你的創作，想起的種種也就更多了。或許你日後真能為當代詩壇推展一部突出的敘事詩；我相信你能夠；如果你不斷走下去：

「路經湘水
未寒的枯骨在兩岸嘶喊
你焚稿祭江，立下斑剝的誓言」
——「懷人」

敘事在剪裁，焦距的適宜方能襯出主題的明朗，而焦點也不宜繽紛，掩沒了主題的突顯。如果敘事長詩裏不得不描述很多的意象，至少，這些意象應是因著焦點而衍生的。

「懷人」這三句詩即寫賈生，遙指屈子，卻也是你焚祭的允諾了。我特別喜歡你這雙關心志的詩句。其實，運用典事的作品也應具有新意。

「短歌行」一輯不知你自己是否覺得滿意，唐人絕句之所以留傳於後並不在於他的簡少，而在於能夠涵容詩人浩瀚的志氣。短詩當然可寫鄉居田園，可見意起興；但興賦之中往往兼具了繽紛的意象或悠遠的意界；絕非是尚未衍生素材的描寫。「冬夜對座」養墨清淡，卻也勾勒出悠長的冥思，是一首成功的短詩。

我很喜歡你集子的名稱「靜聽流水」。「靜聽流水」代表了一種永恆的律動和淡遠的禪意。你說：

我們就這樣坐在岩石上聽流水的聲音
山谷裏
有些寂寞相對的燈光
靜靜地亮著

——「靜聽流水」

那份甯謐、那些水聲、那絲和鳴也真的令人側身聆聽了

八、玉壺冰．崗山韻草．致許藍山

形式與內容之爭多歷年所矣。沒有內容即沒有形式存在的價值，而我也認為，沒有形式的映襯卻也顯現不出內容的尊貴。言志詩也好，抒情詩也好，同是文學的精品，就不能沒有形式的需求了。前後接到了你的「玉壺冰」和「崗山韻草」這線裝的古典詩詞倒讓我品嚐良久而不忍釋手！

林江鱸美。季膺千里思歸。崗嶺雲深。陶令五株堪種。
朝見西原莽莽。羊角揚塵。夕聞東皐冷冷。雞腔激韻。
於是午夜徘徊。學庚信之對燭。中宵悵惘。奈江淹之吞聲。
已矣哉。聊寄蜉蝣於山阿。結廬聽雨。永摹蒹葭之心志。
臨水栽情。因書於量扁掛前。
軒名遊世。峙在秋花謝後。寺播晚鐘。

——「崗山韻草序」

反複吟誦，倍覺婉然有致而韻律上口。方知你於四六功力之深厚。引典寫事抒情，若與你同坐窗前秉燭夜遊。江老說過你的詩詞造詣極高，於今誦之吟之，果然不是溢美之辭。

你畢業於港城師院，攻讀中國文學。我進師院你早任教阿蓮，可惜未能與你同游翰苑詞林之間。風燈諸子中唯你居處最近山阿，也最未能與你煮酒論詩擊筑舞劍。「玉壺冰」中的「小屋夜譯」最最令我遠眺你行俠樵隱的背影了：

點燈那盞古老的燭台
乍見牆上
劍在鞘中
依舊掛著我少年的夢想
祇是塵封十年之後
主人的心境已老

——「小屋夜譚」

這首詩在韻草「祭先塋後東貽丁弟十四韻」「回鄉謁先君塚」等詩中依然可見你於風中雨中重回荒園的悲泣。或如「玉壺冰」裏的一節詩：

冷風自海面擁來涼意
我欲歸去時回眸瞥見

往事宛如漁家的掛網
一張張在月光下展開

——「再」

「玉壺冰」的「關雎」在韻草卷下你所填之詞裏更能化為珠璣之字。「泊者之歌」的旅愁哲思也不及韻草卷上記遊之作。尤是卷上寫閑情寫山園，寫「秋夜客次野屋」都充溢著漁樵閒居之趣。如果我去，我當要求你為我吟誦一首律詩、一首絕句或一闕婉約蒼涼的新詞。

眠起夕陽西。臨窗任醉題。村童歌石巷。堂燕落花泥。晚笛荒山遠。歸牛野草低。我鄉堪比處。盤谷武陸谿。

——「閒居偶題」

——「原載商工日報春秋副刊」

雞聲隱約

雞聲隱約。夜，是要過去了

回想這些歲月以來的困頓和掙扎。芒果花開滿枝椏；而后萎謝了地。冬天過去了，春風中又溢著芒果花清甜帶酸的芳香。從陽光自東籬昇起的剎那，我突然對庭院裏這棵芒果樹沉思了起來。其實，我什麼都沒想；也無法去調理些思緒；一盅茶沖了又沖。腦海中彷彿塞了某些東西；但瞬間彷佛又褪去成一片空白。抽煙、喝茶；我在芒果花下的春天冥想：

花謝花開。我靜坐終日
冥想一些未來、一些從前
擁有和失去。宛如歲月的流轉

無聲又無息

是的：歲月的消逝空虛得叫人害怕。匆匆之際，許多事物已在轉瞬中消失；浪漫的情愫幻滅在東去江水的泡沫中——既為人夫，又為人父，不再是喧戲笑鬧的年紀了。未來也將在流轉中慢慢淡去。或許我的孩子是未來，而這未來又是多麼遙不可企及啊！歲月使人變得畏縮和膽顫：

無息而又無聲
陽光依然自東徂西
擔心歡樂的失去
痛苦之令人難以承擔

歲月竟然使人滿足於一絲愉悅；恐懼太多太多的苦痛。陽光在西山沉沒；月緩緩地出現；帶來一些星子、一些雲朵。星移物換，啊，又有誰能蟬蛻於歲月的逼迫之中？滿足的或是睿之的笑容；那是一張多麼純淨的臉呵！他只有滿足，滿足於滿足；能迅速拋去不悅忘記痛苦；然而，誰能重返那嬰兒之未孩的淳真。有聚終必有散，有歡悅終必有痛楚，一切相對於我心中；生死離合之間有誰能了悟解脫；而歲月之流逝又有誰能挽住祂的過去？

人生本如一場夢幻

悲歡離合具存於心中

物換星移；夜色寂寥

月，自林梢走過

月，自林梢走過，自芒果花蜂蝶曾經的花間走過。夜是深重而寂寥了。露凝亦深重。從陽光昇起至月落了大地，我在芒果樹下枯坐竟日。看芒果花謝的謝開的開；看蜂來蝶至蜂去蝶失；一盅早茶沖了又沖，從濃馥而淡然了。陽光失去、月色失去、星芒也失去；芒果花依舊開開謝謝。庭院依舊是庭院，黑暗中一切依舊存在著。

歲月流失；一切——
走過。露華沉重
結滿我衣袖。夜，是要過去了
陽光依舊將從東籬昇起
雞聲隱約
雞聲隱約，夜，是要過去了。

己未正春廿日于笨港殘軒

倒帶 254